# CLASSIQUES LAROUSSE

Collection fondée en 1933 par FÉLIX GUIRAND
continuée par
LÉON LEJEALLE (1949 à 1968) et JEAN-POL CAPUT (1969 à 1972)
*Agrégés des Lettres*

*nouvelles — news, long, short story*

# MÉRIMÉE

# MATEO FALCONE
# L'ENLÈVEMENT DE
# LA REDOUTE
# TAMANGO
# LES ÂMES DU PURGATOIRE

*extraits*

avec une Notice biographique, une Notice historique et littéraire,
des Notes explicatives, une Documentation thématique,
des Jugements, un Questionnaire et des Sujets de devoirs,

par

JEAN BRUNEL
*Agrégé des Lettres*

S0-ARN-429

# LIBRAIRIE LAROUSSE

17, rue du Montparnasse, 75298 PARIS

# RÉSUMÉ CHRONOLOGIQUE
# DE LA VIE DE PROSPER MÉRIMÉE
## 1803-1870

**1803** — **Naissance à Paris,** le 28 septembre, de **Prosper Mérimée,** fils de Léonor Mérimée, peintre, chimiste et historien.

**1811** — Il entre comme externe au Lycée impérial Napoléon (Henri-IV), où il fera de bonnes études.

**1819-1823** — Il prépare sa licence en droit (avec succès), se cultive, étudie les langues vivantes.

**1822** — Pendant l'été, Mérimée rencontre pour la première fois Stendhal.

**1824** — Quatre articles sur le théâtre espagnol dans *le Globe* (novembre).

**1825** — Publication, en mai, du *Théâtre de Clara Gazul, comédienne espagnole,* dont l'auteur véritable est Mérimée. Celui-ci fréquente alors les salons de M^me Récamier, de M^me d'Aubernon, les ateliers des peintres Gérard, Delacroix, David d'Angers.

**1827** — Publication de *la Guzla,* vingt-huit ballades illyriques (août) : l'auteur véritable en est encore Mérimée.

**1828** — Publication (7 juin) de *la Jacquerie, scènes féodales,* suivie de *la Famille de Carvajal,* drame.

**1829** — Mérimée fréquente le Cénacle. — *Chronique du temps de Charles IX* (5 mars), intitulée par la suite (1832) *Chronique du règne de Charles IX.* — *Mateo Falcone* (5 mai); *le Carrosse du saint-sacrement,* saynète (14 juin); *Vision de Charles XI* (26 juillet); *l'Enlèvement de la redoute* (septembre); *Tamango* (4 octobre); *le Fusil enchanté* (25 octobre); *Federigo* (15 novembre); *l'Occasion,* comédie (29 novembre). — *Le Ban de Croatie, le Heydouque mourant* (« romances imitées de l'illyrique ») et *la Perle de Tolède* (« romance imitée de l'espagnol ») sont publiés le 27 décembre.

**1830** — *La Revue de Paris* publie *le Vase étrusque* (14 février). — *Les Mécontents,* proverbe (28 mars), et *la Partie de trictrac* (13 juin). — Voyage en Espagne (juin-décembre). Il visitera Séville, Grenade, Cordoue, Madrid, Valence; il va nouer amitié avec le comte et la comtesse de Montijo, parents d'Eugénie de Montijo, alors âgée de quatre ans et qui deviendra impératrice des Français.

**1831** — Mérimée est nommé chef de bureau du secrétariat général de la Marine (5 février). Le 13 mars, il devient chef de cabinet du comte d'Argout, qui passe au ministère du Commerce. — Il fréquente le monde des théâtres (La Pasta) et prend part à des soupers littéraires avec Musset. Jenny Dacquin, avec laquelle il entretiendra une amitié amoureuse, lui écrit en octobre sa première lettre. — En janvier paraît sa *Première Lettre d'Espagne* (« les Combats de taureaux ») et en mars ses *Notes sur la peinture espagnole,* ainsi qu'*Une exécution.*

**1833** — Dans *Mosaïque* (4 juin), il recueille certaines des nouvelles déjà publiées. — Publication de *la Double Méprise* (7 septembre). En décembre, *Quatrième Lettre d'Espagne* (« les Sorcières »).

**1834** — Le 27 mai, Mérimée est nommé inspecteur des Monuments historiques. Jusqu'en 1860, Mérimée ne cessera plus de sillonner la France en tous sens pour ses tournées d'inspection. Il accomplit de très nombreux voyages à l'étranger; il encouragera **son ami Viollet-le-Duc** dans ses restaurations. — Voyage dans le midi de la France (juillet-décembre). — Publication des *Âmes du purgatoire* (août).

**1835** — Parution des *Notes d'un voyage dans le midi de la France* (juillet). Voyage dans l'ouest de la France (juillet-octobre).

© *Librairie Larousse,* 1972.          ISBN 2-03-870094-X

1836 — Début de la liaison avec M™ Delessert, qui sera son inspiratrice jusqu'en 1854. — Voyage en Alsace. — Les *Notes d'un voyage dans l'ouest de la France* paraissent en librairie (22 octobre).

**1837** — Voyage dans le centre de la France, d'abord avec Stendhal jusqu'à Bourges, puis seul jusqu'en Auvergne. — ***La Vénus d'Ille*** (15 mai).

1839 — Voyage en Corse (29 juin - 7 octobre). Retour par l'Italie : il reste dix jours à Rome avec Stendhal; puis il va avec son ami visiter Naples, Pompéi, Herculanum, Pouzzoles. Retour à Marseille le 15 novembre.

**1840** — Publication des *Notes d'un voyage en Corse.* Il part pour un nouveau voyage en Espagne. *La Revue des Deux Mondes* publie **Colomba.**

1841 — Voyage en Grèce et en Turquie (août-décembre).

1842 — Edition collective : *Colomba,* suivie de *Mosaïque* et autres nouvelles.

1843 — Mérimée est élu membre de l'Académie des inscriptions et belles-lettres (17 novembre).

**1844 —** Il est **élu à l'Académie française** (14 mars). — *La Revue des Deux Mondes* publie le 15 mars **Arsène Guillot.** En avril, publication des *Études sur l'histoire romaine* (qui réunissent l' « Essai sur la guerre sociale » et « la Conjuration de Catilina »).

**1845 —** *La Revue des Deux Mondes* publie **Carmen** (1ᵉʳ octobre).

**1846 —** *Le Constitutionnel* publie **l'Abbé Aubain** (24 février).

1848 — Mérimée prend part aux journées de Juin. Parution de l'*Histoire de Don Pèdre Iᵉʳ, roi de Castille.*

1849 — *La Revue des Deux Mondes* publie *la Dame de pique,* que Mérimée a tirée de Pouchkine.

1850 — Mérimée publie *H. B.* (Henri Beyle).

1852 — Mérimée fait paraître, en mai, ses *Nouvelles* en volume; il subit quinze jours de prison pour ses articles sur le procès Libri.

1853 — Mérimée est nommé sénateur (23 juin). Il continuera sa besogne courante d'inspecteur des Monuments historiques, mais ses tournées en France se font de plus en plus rares. — Il voyage en Espagne (septembre-décembre). — Mérimée dîne avec l'Empereur et l'Impératrice (20 décembre). Il sera souvent aux Tuileries, à Compiègne, à Fontainebleau, à Biarritz.

1855 — Il publie les *Mélanges historiques et littéraires.* — En août et en septembre, Mérimée voyage en Allemagne.

1856 — Mérimée voyage en Angleterre. A partir de cette année, il passera désormais tous ses hivers dans le Midi, à Cannes.

1857-1859 — Deux nouveaux voyages en Angleterre; Mérimée visite également la Suisse, l'Allemagne, l'Autriche, l'Italie. Il passe l'automne de 1859 en Espagne.

1860 — Mérimée démissionne de sa fonction d'inspecteur général des Monuments historiques.

1863 — En juillet, comme on lui offre le poste de ministre de l'Instruction publique, Mérimée refuse.

1865 — *Les Cosaques d'autrefois* paraissent en librairie (novembre).

**1869 —** En mai, publication des *Nouvelles moscovites* de Tourgueniev : la traduction en est de Mérimée et de l'auteur. — Mérimée lit sa nouvelle de **Lokis** à Saint-Cloud (juillet).

**1870 —** Mérimée intervient en faveur de l'Impératrice auprès de Thiers (18-20 août), puis quitte Paris pour **Cannes** (8 septembre), où **il meurt** le 23 septembre.

Prosper Mérimée avait vingt ans de moins que Stendhal, treize de moins que Lamartine, six de moins qu'Alfred de Vigny, cinq de moins que Michelet, quatre de moins que Balzac, un de moins que Victor Hugo.

Il avait un an de plus que George Sand et Sainte-Beuve, cinq de plus que Gérard de Nerval, sept de plus qu'Alfred de Musset, dix-huit de plus que Flaubert.

# MÉRIMÉE ET SON TEMPS

| | la vie et l'œuvre de Mérimée | le mouvement intellectuel et artistique | les événements politiques |
|---|---|---|---|
| 1803 | Naissance à Paris de Prosper Mérimée (28 septembre). | Premier séjour de Chateaubriand en Italie. Premier voyage de M⁽ᵐᵉ⁾ de Staël en Allemagne. Chamfort : Pensées et anecdotes. | Bonaparte Premier consul depuis 1802. Complot de Pichegru. Rupture de la paix d'Amiens avec l'Angleterre. Les États-Unis achètent la Louisiane à la France. |
| 1825 | Théâtre de Clara Gazul, comédienne espagnole (supercherie littéraire). | Racine et Shakespeare (deuxième partie); Armance. Invention de la bougie stéarique (Chevreul et Gay-Lussac). | Sacre de Charles X. Loi du sacrilège. En Grèce, résistance de Missolonghi. Mort du tsar Alexandre I⁽ᵉʳ⁾; échec de l'insurrection décembriste. |
| 1827 | La Guzla, ballades illyriques (nouvelle supercherie littéraire). | V. Hugo : Cromwell et sa Préface. Delacroix : la Mort de Sardanapale. Ingres : Apothéose d'Homère. Corot : le Pont de Narni. Invention de la chaudière tubulaire. Loi d'Ohm. | Villèle dissout la Chambre : élections favorables aux libéraux. Bataille de Navarin, décisive pour l'indépendance grecque. |
| 1828 | La Jacquerie, scènes féodales. La Famille de Carvajal. | Sainte-Beuve : Tableau de la poésie française au XVIᵉ siècle. Berlioz : Symphonie fantastique. Mort de Goya et de Schubert. | Démission de Villèle : ministère Martignac. Indépendance de la Grèce. René Caillié à Tombouctou. |
| 1829 | Chronique du temps de Charles IX. Mateo Falcone. Le Carrosse du saint-sacrement. Vision de Charles XI. L'Enlèvement de la redoute. Tamango. | V. Hugo : les Orientales. A. Dumas : Henri III et sa cour. Balzac : les Chouans. Dumont d'Urville en Océanie; première locomotive pratique (Stephenson). | Démission de Martignac : ministère Polignac. Traité d'Andrinople, qui met fin à la guerre russo-turque. Jackson président des États-Unis. |
| 1830 | Le Vase étrusque, les Mécontents, la Partie de trictrac. Voyage en Espagne. | V. Hugo : Hernani. Lamartine : Harmonies poétiques. Stendhal : le Rouge et le Noir. Musset : les Contes d'Espagne et d'Italie. La Nuit vénitienne échoue. | Prise d'Alger. Révolution de Juillet. Révolution en Belgique (août) et en Pologne (novembre). Autonomie de la Serbie. |
| 1833 | Mosaïque, recueil de nouvelles. La Double Méprise. Lettres d'Espagne. | Balzac : le Médecin de campagne; Eugénie Grandet. Musset : les Caprices de Marianne. Barye : le Lion au serpent. Invention du télégraphe électrique. | Loi Guizot sur l'établissement de l'enseignement primaire. Création de la Société des droits de l'homme. |

| | | | |
|---|---|---|---|
| 1834 | Inspecteur des Monuments historiques. Les Ames du purgatoire. | Sainte-Beuve : Volupté. Balzac : le Père Goriot. Musset : Lorenzaccio. Lamennais condamné à Rome. | Insurrection d'avril à Paris et à Lyon. Quadruple-Alliance (France, Angleterre, Espagne, Portugal). |
| 1837 | La Vénus d'Ille. | V. Hugo : les Voix intérieures. Stendhal : Vittoria Accoramboni, les Cenci. G. Sand : Mauprat. Balzac : Illusions perdues (I). Berlioz : Requiem. | Traité de la Tafna : cession à Abd el-Kader des provinces d'Oran et d'Alger. Prise de Constantine par le général Valée. |
| 1840 | Notes d'un voyage en Corse, Colomba. Voyage en Espagne (août-octobre). | V. Hugo : les Rayons et les ombres. Musset : les Nuits. A. Thierry : Récits des temps mérovingiens. Gérard de Nerval : traduction de Faust (II). Delacroix : Entrée des croisés à Constantinople. | Ministère Thiers, puis ministère Soult-Guizot. Bugeaud, gouverneur général de l'Algérie. Traité de Londres (Angleterre, Russie, Autriche, Prusse) hostile à la France dans la Question d'Orient. Retour des cendres de Napoléon. |
| 1844 | Élection à l'Académie française. Arsène Guillot. Études sur l'histoire romaine. | Balzac : les Paysans. A. Dumas : les Trois Mousquetaires. E. Sue : le Juif errant. Sainte-Beuve : Portraits littéraires. Télégraphe Morse. | Rencontre Victoria - Louis - Philippe; bataille de l'Isly. Guerre franco-marocaine; Protectorat français à Tahiti. Affaire Pritchard. Le Texas entre dans les États-Unis. |
| 1845 | Carmen. Notice sur les peintures de l'église de Saint-Savin. | Th. Gautier : España. Musset : Il faut qu'une porte soit ouverte ou fermée. Daumier : les Gens de justice. Wagner : Tannhäuser. | Hostilité de la Chambre à l'égard des congrégations (Querelle scolaire). |
| 1850 | Voyage en Angleterre. Les Deux Héritages. Brochure sur Stendhal : H. B. par l'un des Quarante. | Chateaubriand : Mémoires d'outre-tombe. G. Sand : François le Champi. G. Courbet : l'Enterrement à Ornans. Wagner : Lohengrin. Premier câble sous-marin entre Calais et Douvres. | Politique réactionnaire de Louis-Napoléon; loi Falloux sur la liberté de l'enseignement. Dans toute l'Europe, réaction après l'échec des mouvements de 1848. |
| 1853 | Mérimée est nommé sénateur : il devient un des familiers des Tuileries. Septembre-décembre : voyage en Espagne. | V. Hugo : Châtiments, G. de Nerval : Petits châteaux de Bohême. H. Taine : La Fontaine et ses Fables. Renan : la Vie de Jésus. Rude : le Maréchal Ney. | Haussmann, préfet de la Seine. Début de la guerre russo-turque, dans laquelle seront ensuite engagées la France et l'Angleterre (guerre de Crimée). |
| 1870 | Mort de Prosper Mérimée à Cannes, le 23 septembre. | P. Verlaine : la Bonne Chanson. Lautréamont : Poésies. H. Taine : De l'intelligence. Delibes : Coppélia. Cézanne : Nature morte à la pendule. | Guerre franco-allemande (juillet). Défaite de Sedan et chute de l'Empire (4 septembre). Entrée des Italiens à Rome. |

# BIBLIOGRAPHIE SOMMAIRE

## OUVRAGES SUR MÉRIMÉE

Pierre Trahard    *Prosper Mérimée et l'art de la nouvelle* (Paris, P. U. F., 1923). — *La Jeunesse de Prosper Mérimée (1803-1834)* [Paris, Champion, 1925]. — *Prosper Mérimée de 1834 à 1853* (Paris, Champion, 1928). — *La Vieillesse de Prosper Mérimée* (Paris, Champion, 1930).

Robert Baschet    *Mérimée, Du romantisme au second Empire* (Paris, Nouvelles Éditions latines, 1959).

André Billy    *Mérimée* (Paris, Flammarion, 1959).

Paul Léon    *Mérimée et son temps* (Paris, P. U. F., 1962).

Mérimée    *Correspondance générale,* établie et annotée par Maurice Parturier, Pierre Josserand et Jean Mallion (Paris, Le Divan, à partir de 1941 à 1947; puis Toulouse, Privat, depuis 1953).

## SUR LES NOUVELLES

Sainte-Beuve    *les Causeries du lundi,* lundi 7 février 1852 (tome VII, p. 370-388).

Georges Gendarme de Bévotte    *la Légende de Don Juan* (Paris, Hachette, 1929, tome II, p. 25-33).

Antoine Naaman    « *Matèo Falcone* » de Mérimée (Paris, Nizet, 1968).

Éric Gans    *Un pari contre l'histoire : les premières nouvelles de Mérimée* (Paris, Lettres modernes, 1973).

---

Les trois premières nouvelles que regroupe ce volume font partie de celles qui, en 1833, furent rassemblées dans le recueil intitulé *Mosaïque.* En 1842, à la suite de *Colomba,* Mérimée réédita *Mosaïque;* cette édition comportait également *les Ames du purgatoire,* dont le texte avait été publié en 1834 dans la *Revue des Deux Mondes.* Au cours des nombreuses réimpressions qui suivirent, l'auteur revit et corrigea ses contes. C'est l'édition de 1850 qui est ici reproduite, puisque c'est la dernière qui ait été revue par l'auteur.

# MATEO FALCONE
# 1829

## NOTICE

### CE QUI SE PASSAIT EN 1829

■ **EN POLITIQUE. En France :** *Démission du ministère libéral de Martignac. Ministère Polignac. Regroupement de l'opposition.*

**En Angleterre :** *Wellington et Robert Peel font présenter au parlement le bill pour l'émancipation des catholiques.* **En Italie :** *mort du pape Léon XII et élection de Pie VIII.* **En Orient :** *guerre de l'indépendance grecque. Prise de Missolonghi. Traité d'Andrinople entre la Russie et la Turquie.* **Aux États-Unis :** *Jackson est élu président.*

■ *DANS LES SCIENCES ET DANS LES TECHNIQUES. Le capitaine Dumont d'Urville termine, après trois ans, un voyage de circumnavigation en Océanie. En Angleterre, Stephenson réalise la première locomotive pratique. Mort de Lamarck.*

■ *DANS LES LETTRES ET DANS LES ARTS. En France :* Victor Hugo, les Orientales. A. de Vigny, Othello. — Alexandre Dumas, Henri III et sa cour. Balzac, les Chouans, la Physiologie du mariage. Sainte-Beuve, Vie, poésies et pensées de Joseph Delorme. Lamartine est élu à l'Académie française. — Traduction de la Divine Comédie (par A. Deschamps), des Œuvres complètes de Hoffmann (par Loève-Veimars), des Pensées de Jean-Paul (par Lagrange).
Édition des Mémoires de Saint-Simon. Burnouf se prépare à publier le Vendidad-Sadé, le livre liturgique le plus intéressant de Zoroastre. — Delacroix, la Grèce debout sur les ruines de Missolonghi.

**A l'étranger. Angleterre :** W. Scott, Anne de Geierstein; *Th. Moore, Mémoires de la vie de lord Byron.* **Italie :** Leopardi, *le Souvenir, chant nocturne d'un pasteur errant de l'Asie.*

## LES SOURCES

Il est extrêmement probable que Mérimée a lu le *Voyage en Corse* de l'abbé Gaudin. Il y trouvait l'anecdote suivante[1] :

*Noblesse d'âme d'un Corse.*

Un soldat d'un de nos régiments en Corse déserte. On ne tarde pas à être instruit de sa faute; plusieurs de ses camarades sont aussitôt envoyés sur ses traces : les recherches devenaient inutiles. (La plupart des Corses sont attachés à la condition pastorale.) On rencontre un de ces bergers : on lui demande s'il n'a point aperçu dans sa route un soldat français. Il n'hésite pas à répondre qu'il n'a rien vu; on cherche à l'intimider : les menaces les plus fortes ne produisent aucun effet; il s'obstine à tenir le même langage et à montrer la même fermeté. Fâché du peu de succès de cette tentative, on quittait le paysan[ : un de la troupe parle à ses compagnons, les ramène et emploie un moyen bien différent pour obtenir du berger l'éclaircissement désiré. Il tire cinq louis de sa poche, les fait briller aux yeux du Corse, en un mot les lui promet s'il veut satisfaire à sa demande. Cet homme, tout à coup, laisse échapper des indices du trouble extraordinaire qui l'agitait. Il faut observer que 120 livres sont, pour un berger corse, une fortune éblouissante. Sa voix se refuse à cette indiscrétion, mais il montre du doigt des rochers. Les soldats qui pensent avoir entendu son geste l'emmènent avec eux, on découvre enfin le déserteur dans cette retraite, on s'en saisit, et les cinq louis furent délivrés au berger. De retour dans sa cabane, il laisse éclater une joie qui ne lui était point naturelle, son père le surprend courant sans cesse compter la somme, récompense de sa délation. Le vieillard, furieux, ne doute pas que cet argent ne soit le fruit d'un vol, il veut à l'instant être instruit du moyen qui le lui a procuré. Le fils se jette à ses pieds, lui révèle avec quelque peine la cause de son opulence subite. « Quoi! s'écrie le vieux Corse, ne le laissant point achever, cet argent, tu le dois à une trahison! malheureux! et c'est moi qui t'ai donné la vie! » Il n'en dit pas davantage, se précipite avec fureur sur le coupable, lui lie les pieds et les mains à la quenouille de son lit, le confie à la garde de quelques personnes de sa famille; et s'empressant de se rendre chez le commandant français, tombe à ses genoux, et demande avec larmes la grâce du déserteur, qui lui est absolument refusée. « Vous ne voulez donc point céder à mes prières? Eh bien! vous allez savoir comment un Corse agit à l'égard d'un fils qui a déshonoré sa famille, son pays, et si nous supportons des traîtres parmi nous. » Il se retire brusquement, retourne avec la même vivacité à sa maison, prend son fusil, et délie son fils, sans proférer une seule parole, l'entraîne avec lui, et fait signe aux parents de le suivre. Il s'arrête aux portes de la ville, à peu près vers l'endroit où le jeune homme avait décelé l'infortuné soldat; il lui ordonne de se mettre à genoux, lui casse la tête, et, en jetant avec indignation l'argent sur son cadavre, il ne se permet que ces mots : *tiens, voilà le prix de ton crime.*

Certains détails essentiels de la nouvelle de Mérimée semblent bien provenir de cette anecdote. Mais il semble que la lecture déterminante ait été celle d'une importante étude publiée en juillet 1828, donc quelques mois plus tôt, par l'un de ses amis, Alexandre Buchon, dans la *Revue trimestrielle* qu'il venait de fonder. Cette étude anonyme[2] était intitulée *Des devoirs de la France envers la Corse*. On y pouvait lire cette anecdote :

---

**1.** *Voyage en Corse, et vues politiques sur l'amélioration de cette isle, suivi de quelques pièces relatives à la Corse, et de plusieurs anecdotes sur le caractère et les vertus de ses habitants, orné d'une carte géographique,* par M. l'abbé Gaudin, vicaire général de Nebbio, de l'Académie de Lyon (Paris, 1787, pages 223-225); **2.** Elle était du général Sebastiani ou de l'avocat Patorni, dit G. Charlier (*la Source principale de « Mateo Falcone »*, dans la *Revue d'histoire littéraire de la France*, juillet-septembre 1921).

A l'époque où nos troupes étaient encore, dans l'île, les auxiliaires de Gênes, deux déserteurs du régiment de Flandre s'enfoncent dans les bois pour y chercher un asile. M. de Nozières, leur colonel, qui était ce jour même d'une partie de chasse, fut conduit par le hasard sur leurs pas. Les deux déserteurs, l'ayant aperçu, se jetèrent dans un marais couvert d'arbustes. Malheureusement, ils avaient été vus par un berger du voisinage, dont les gestes indiquèrent aux chasseurs le lieu de leur retraite. Le berger s'obstinant à ne rien dire et continuant ses signes, on crut qu'une proie était cachée dans ces broussailles; on lâcha les chiens, qui confirmèrent ce soupçon, et bientôt on découvrit ces deux malheureux, qui étaient enfouis dans la fange jusqu'à la bouche. Conduits à Ajaccio, et condamnés à la peine de mort, ils furent passés par les armes. Cependant, le pâtre, qui avait reçu quatre louis pour récompense de sa dénonciation, ne put s'empêcher de raconter son aventure, à laquelle, d'ailleurs, on donna toute la publicité possible à Ajaccio pour inspirer aux soldats une crainte salutaire et leur persuader qu'ils ne seraient point favorisés dans leur désertion par les naturels du pays. Mais ce qui est remarquable, c'est l'indignation que témoigna la famille du berger en apprenant cet acte de lâcheté. Ses parents s'assemblent et décident qu'ils ne doivent pas laisser vivre un homme qui a déshonoré sa nation et en recevant devant le prix du sang. Cette espèce de sentence prononcée, ils se mettent à sa poursuite, le saisissent et l'amènent sous les murs d'Ajaccio, et, après l'avoir confié quelques instants aux soins d'un religieux qu'ils avaient fait venir pour le confesser, ils le fusillent à la manière des Français, en même temps qu'on fusillait les deux déserteurs. Après l'exécution, les quatre louis furent remis au confesseur, chargé de les rendre aux officiers qui les avaient donnés à leur parent. « Nous croirions, lui dirent-ils, souiller nos mains et nos âmes, que de garder cet argent d'iniquité; il ne faut point qu'il serve à personne de notre nation. »

On trouve donc dans ces deux récits les données essentielles de la nouvelle de Mérimée. Il ne fait guère de doute que notre auteur ait lu l'étude de la *Revue trimestrielle,* comme l'a montré G. Charlier. L'anecdote de Gaudin lui a sans doute donné l'idée des hésitations du dénonciateur et de l'exécution du coupable par son propre père. Dans le même sens a pu s'exercer l'influence d'une histoire analogue citée par Benson dans ses *Sketches of Corsica* (Londres, 1825). On peut aussi penser que Mérimée a eu connaissance des *Novelle storiche Corse* de Renucci (Bastia, 1827). M. Courtillier[1] a rappelé que dans la *Revue trimestrielle* se trouvait cité à plusieurs reprises l'ouvrage, assez médiocre, de Gabriel Feydel : *Mœurs et coutumes de la Corse* (Paris, an VII [1799]). Le nouvelliste y trouve, ainsi peut-être que dans l'*État actuel de la Corse* (de P. P. Pompéi, Paris, 1821), de nombreuses notations de couleur locale sur le maquis, l'hospitalité corse.

Ajoutons enfin que Mérimée devait connaître les six articles que le journal *le Globe,* auquel il collaborait, avait publiés trois ans auparavant, du 25 mai 1826 au 6 mars 1827 : leur auteur anonyme y décrit l'honneur et l'hospitalité corses, le « makis », les voltigeurs, les « bandits », qui sont des bannis et non des brigands, et leur attachement tout particulier aux vertus traditionnelles. Il fait une place particulière au plus célèbre des « bandits », Tiodoro

---

1. Courtillier, l'*Inspiration de « Mateo Falcone »* dans la *Revue d'histoire littéraire de la France,* avril-juin 1920.

Poli, que les voltigeurs poursuivent en vain. Il analyse, en le louant, l'ouvrage de Benson.

Comme l'a fait remarquer Maurice Levaillant, la légende n'est pas spécifiquement corse. Elle fait naturellement penser à celle de Brutus, le consul justicier de son propre fils. Mais M. Levaillant ajoute[1] :

« Au Moyen Age, une fable latine très répandue, intitulée *Lupus, Pastor et Venator* et traduite dans le recueil de Marie de France, conte comment d'un simple clin d'œil un pâtre trahit un loup poursuivi, qui, d'ailleurs, échappe au chasseur. Une fable analogue se lit dans les recueils d'Ésope et de Babrius, où un renard a pris la place du loup. Le même renard, dans un récit allemand, est « mis à l'abri par un paysan sur une charrette chargée de paille »; le paysan indique du geste la paille aux chasseurs, qui, du reste, ne comprennent pas.

« Une légende grecque du XIX⁰ siècle montre une jeune fille qui, poursuivie par un Turc, trouve refuge dans une église vouée à saint Georges. Le saint la cache sous une dalle, puis, d'un geste, signale la dalle au Turc, qui s'empare de la victime. Celle-ci éclate en imprécations, tout comme le bandit de Mérimée lorsqu'il est découvert.

« Au récit corse qui est à l'origine de *Mateo Falcone,* il faut donc supposer des « sources » lointaines et populaires. Mais il ne semble pas que Mérimée les ait soupçonnées. »

Il n'est pas sûr non plus qu'il ait utilisé toutes les lectures indiquées plus haut. Ce qui est évident, c'est que, même s'il n'a fait, comme on l'a dit[2], que reprendre une histoire contemporaine lue dans un journal, Mérimée n'invente que peu. Dès cette première nouvelle, il lui faut un terrain solide où s'appuyer.

## L'ART DE MÉRIMÉE DANS « MATEO FALCONE »

Ce qui appartient en propre à Mérimée, c'est donc l'utilisation de toutes ces données. Le choix des détails, la composition, la peinture des personnages, le travail du style qu'on peut suivre à travers les corrections que l'auteur a apportées à son texte initial, tout cela montre à quel point il se dégage des formules toutes faites pour créer un art personnel.

### L'UTILISATION ET LE CHOIX DES DÉTAILS

Quelques exemples montreront comment Mérimée utilise les données livresques qui lui ont fourni sa matière. Une donnée fournie par ses informateurs se retrouve le plus souvent chez lui sous forme de simple allusion. Ainsi la *Revue trimestrielle* (juillet 1828) écrivait : « Il n'y a pas jusqu'aux enfants de huit ou dix ans qui

---

**1.** *Notes et éclaircissements* de l'édition de *Mosaïque* (Champion, 1933), page 406;
**2.** Témoignage d'Auguste Barbier : *Souvenirs personnels et silhouettes contemporaines,* page 296.

à peine peuvent porter l'arquebuse et néanmoins s'exercent toute la journée, de manière qu'ils touchent un but de la largeur d'un écu. » Dans la nouvelle, cet élément se retrouvera sous forme d'une allusion à l'*habileté au tir au fusil* de Mateo Falcone (ligne 41). La même revue (juillet 1828) indiquait : « Les insulaires ne s'embarrassent guère de leurs filles. » Mérimée écrit : *Sa femme Giuseppa lui avait donné d'abord trois filles (dont il enrageait)* [lignes 62-64]. De même, alors que la revue indiquait : « Les Corses, qui se croiraient déshonorés en se livrant au travail, y condamnent impitoyablement leurs femmes [...], ce sont elles qui font ordinairement les transports de fourrage et des autres objets qu'on amène de la campagne à la ville », Mérimée décrit la femme de Mateo *courbée péniblement sous le poids d'un énorme sac de châtaignes, tandis que son mari se prélassait, ne portant qu'un fusil à la main et un autre en bandoulière; car il est indigne d'un homme de porter d'autre fardeau que ses armes.* Or, la revue disait aussi : « On sent que, dans un tel état de société, on ne doit jamais marcher sans armes; aussi, les habitants des villes maritimes exceptés [...], vous ne rencontrerez pas un Corse qui ne soit pour ainsi dire en équipage de guerre. » On le voit, Mérimée fond des détails qu'il a choisis pour leur valeur pittoresque; un peu d'humour, un sens aigu de la notation vivante, un tour léger, qui fuit tout pédantisme, la concision d'un auteur qui sait choisir, telles sont les qualités que ces comparaisons font ressortir.

Pour conclure cette sommaire étude sur le choix des détails, relevons les modifications les plus importantes qu'il a apportées à son texte après son voyage en Corse en 1839[1], dans l'édition de 1842.

Dans la première phrase : « En sortant de Porto-Vecchio *et se dirigeant au nord-ouest,* vers l'intérieur de l'île, on voit le terrain s'élever assez rapidement »; la notation en italique a été ajoutée dans l'édition de 1842.

Si vous devez vous réfugier dans le maquis, disait en substance l'auteur, « les bergers *vous vendront* du lait, du fromage et des châtaignes »; alors qu'à partir de 1842 il écrit : « Les bergers vous *donnent* du lait » (ligne 27). Cette correction fait écho à une constatation du voyageur, qui écrivait (à son ami Lenormant, le 28 août 1839) : « On est traité homériquement par les gens. » La correction de *ruppa* en *pilone* dans une note de la même page (voir page 20) va dans le même sens. Si, primitivement, Mérimée parlait de *giberne*, ce mot est remplacé, à partir de 1842, par *carchera,* qui est le terme propre (ligne 109). Décrivant l'uniforme des voltigeurs, l'auteur avait écrit : « L'uniforme *est* un habit brun avec un collet jaune. » Dans le texte de cette même note, il dira en 1842 : « L'uniforme des voltigeurs *était alors* un habit » (page 22, note 4).

---

1. Voir sur ce point l'étude de M. Souriau, *les Variantes de « Mateo Falcone »* dans la *Revue d'histoire littéraire de la France,* avril-juin 1923.

De même, lorsque Gamba interroge Fortunato, il lui décrit le bandit; alors que celui-ci était primitivement affublé d'un « bonnet *de peau de chèvre* », après le voyage en Corse de l'auteur sa coiffure est un « bonnet *pointu en velours noir* » (ligne 148).

Voilà donc la façon dont procède le nouvelliste pour créer un cadre aussi discret, aussi net, aussi juste que possible.

## LA COMPOSITION DE « MATEO FALCONE »

Si l'on compare la composition de cette nouvelle avec celle du récit de l'abbé Gaudin ou de la *Revue trimestrielle*, on s'aperçoit que Mérimée trouvait son plan tout fait : la fuite et la cachette de l'homme poursuivi; l'interrogatoire subi par le dénonciateur et la tentation; l'aveu de la dénonciation et le châtiment.

Avec un art très sûr, le conteur développe les indications préliminaires. Il prend le temps de décrire les lieux (lignes 1-30), de nous présenter Mateo et les siens (lignes 31-74) alors que le personnage n'entre véritablement en scène qu'à la fin de la nouvelle. Il nourrit la scène de la cachette du proscrit avec un dialogue très vivant, et ajoute aux données de ses prédécesseurs l'idée d'une première tentation de Fortunato : si l'enfant cache le proscrit, c'est moyennant le don d'une pièce de cinq francs (lignes 75-121).

La scène la plus longuement développée est celle au cours de laquelle le chef des voltigeurs interroge l'enfant et le décide à parler en faisant briller sa montre à son regard (lignes 122-270). L'auteur maintient en éveil l'intérêt du lecteur en développant encore le récit du retour de Mateo et de son entrevue avec l'adjudant (lignes 300-402). La force du dénouement tient à la densité du raccourci : en deux pages, Mérimée narre la décision de Mateo et l'exécution. Ainsi, le nouvelliste, pour renforcer l'intensité dramatique du récit, développe le début et les indications préliminaires, puis les scènes de tentation, avant de précipiter le dénouement, et faire ainsi ressortir son caractère brutal.

## LA PEINTURE DES CARACTÈRES

Il est évident que le choix des détails pittoresques et leur utilisation, de même que les tendances révélées par la composition ne tendent qu'à mieux mettre en valeur la peinture des mœurs et des caractères. Il semble plus particulièrement que Mérimée s'est attaché à peindre dans cette histoire corse tout ce qui pouvait donner une idée de l'homme « primitif », c'est-à-dire de l'homme dont les réactions sont proches de celles de la nature, sans être atténuées par la civilisation.

Le **bandit** et la **femme de Mateo Falcone, Giuseppa,** tout d'abord, ne sont guère que des personnages épisodiques. Ils sont très proches des données des « sources » de la nouvelle. Gianetto Sanpiero est le « bandit » corse traditionnel. Courageux malgré sa blessure, prompt à la menace, il a le sens des liens familiaux,

du moins quand il y trouve un argument pour convaincre l'enfant :
*Tu n'es pas le fils de Mateo Falcone!* (ligne 113). Il a le sens de l'hospitalité : *Me laisseras-tu donc arrêter devant ta maison?* (lignes 113-114).
Il a surtout le sens de l'honneur et crache sur la *maison d'un traître*.
Il estime ses ennemis et préfère l'eau de la gourde d'un voltigeur
au lait apporté par Fortunato. Giuseppa est davantage l'esclave
que la femme de Mateo : elle n'est que soumission en tout point
à son seigneur et maître. A peine si elle ose rappeler au justicier :
*C'est ton fils* (ligne 433); elle est sans réplique devant le *Je suis son
père* de Mateo. Il ne lui reste qu'à pleurer et à prier devant une
image de la Vierge. C'est bien la femme corse selon la tradition.

L'adjudant **Tiodoro Gamba** est plus nuancé, comme il sied
à un homme qui représente des lois étrangères à la Corse. Il sait
passer de la menace à la promesse. Il sait flatter tous les sentiments
de l'enfant : la vanité, l'amour de l'argent. Il est prudent aussi,
sait ce qu'il en coûterait à se brouiller avec Mateo. Du soldat qu'il
est, il a le courage et le langage : *Que je perde mon épaulette...*

**Fortunato** est un enfant intelligent, moqueur : il raille aussi
bien son cousin l'adjudant que le bandit Gianetto. Il sait tout de
suite où le personnage qui est en face de lui veut en venir, et cherche
à en tirer tout le profit possible. Il sait fort bien garder son secret
devant l'adjudant Gamba. Fortunato est également prudent. Voyez
son attitude quand Gamba lui offre la montre : *Fortunato n'avança pas
la main; mais il lui dit avec un sourire amer : « Pourquoi vous moquez-vous
de moi? »* (lignes 248-250). La convoitise de l'enfant est bien dépeinte
aussi dans ce passage (lignes 240-263) : comparaison avec le chat,
à qui l'on présente un poulet; description des mouvements de la
montre et des réactions de Fortunato; tout cela, vu de l'extérieur,
nous permet cependant d'imaginer les mouvements du cœur de
l'enfant. En somme, Mérimée a su tracer le portrait tout à fait
vraisemblable d'un enfant de dix ans, en qui luttent des sentiments
naturels (convoitise, vanité, curiosité) et une conception non encore
parfaitement assimilée des devoirs de l'hospitalité, de la loyauté. Il
y avait quelque chose de particulièrement habile à faire du dénonciateur de l'histoire un enfant, plus accessible à la tentation, plus
excusable aussi.

**Mateo Falcone,** en face de son fils trop fragile, incarne les
vertus corses avec une dureté qui ne recule pas devant le meurtre
de son propre enfant. Pour rendre son portrait encore plus saisissant,
l'auteur le peint, davantage encore que les autres personnages, de
l'extérieur. Son caractère est d'une logique implacable. Il est un
homme pour qui la mort d'un de ses semblables compte pour rien :
tout le début de la nouvelle est là pour nous le montrer. Son fils
est *le premier de sa race qui ait fait une trahison* (lignes 425-426).
Mateo ne transige pas : bien que ce soit son seul fils, il doit être
abattu comme la mauvaise herbe doit être extirpée du champ.

Des personnages simplifiés, donc, comme stylisés, dans lesquels Mérimée, à la faveur de la peinture des mœurs corses, semble prendre plaisir à retrouver les sentiments primitifs, les sentiments éternels de l'homme, ceux des héros épiques.

## LE STYLE DANS « MATEO FALCONE »

En accord avec ce caractère élémentaire des sentiments, le style de la nouvelle se définit essentiellement par sa simplicité, sa sobriété, sa concision. P. Trahard a souligné les influences que, de ce point de vue, Mérimée a subies[1] : Diderot (surtout celui des *Deux Amis de Bourbonne* et de *Ceci n'est pas un conte*), qui lui transmet le trait piquant et le dialogue naturel; Ch. Sorel et Scarron, la mesure dans le réalisme. Xavier de Maistre *(la Jeune Sibérienne)*, le Cervantes des *Nouvelles exemplaires*, Monluc, Brantôme, L'Estoile, d'Aubigné lui enseignent, à des titres divers, l'art de conter vivement, directement, voire rudement.

Concision, relief, justesse aussi : quand Mérimée se corrige, c'est toujours pour trouver l'expression juste. Nous avons déjà relevé des variantes qui témoignaient de son souci de l'exactitude du détail. Il faudrait examiner aussi celle qui révèlent le souci de la justesse des termes, ou du bonheur de l'expression.

En voici quelques exemples. On trouvera dans la colonne de gauche le texte de la *Revue de Paris* (1829) et dans celle de droite les variantes des éditions postérieures.

| | |
|---|---|
| Ligne 17 : Que l'on nomme *le maquis.* | 1833. Que l'on nomme *maquis.* |
| Ligne 38 : Figurez-vous un homme *robuste, mais petit.* | 1833. *Petit, mais robuste.* |
| Ligne 55 : *Serviable et aumônier.* | 1833. *Serviable et faisant l'aumône.* |
| Ligne 75 : Il était absent depuis *plusieurs heures.* | 1850. *Quelques heures.* |
| Ligne 81 : D'autres coups de fusil *succédèrent.* | 1842. *Se succédèrent.* |
| Ligne 117 : *Le proscrit* fouilla dans sa poche de cuir. | 1842. *Le bandit.* |
| Lignes 211-212 : *Le diable m'emporte si je ne t'emmenais avec moi.* | 1850. *Le diable m'emporte ! je t'emmènerais avec moi.* |
| Ligne 225 : Une montre [...] qui valait bien *six écus.* | 1842. *Dix écus.* |
| Ligne 336 : *S'il était son ami et s'il voulait.* | 1850. *Et qu'il voulût.* |
| Ligne 475 : *Que l'on dise à mon gendre [...] qu'il vienne demeurer chez nous.* | 1850. *Qu'on dise à mon gendre [...] de venir.* |

---

1. Pierre Trahard, *la Jeunesse de Mérimée*, tome II, pages 104-105.

## LE SUCCÈS DE L'ŒUVRE

Dès que le récit parut, en revue, avec le sous-titre *Mœurs de la Corse*, puis, quatre ans après, dans *Mosaïque*, il fut salué comme un chef-d'œuvre pour sa concision, sa force, la vérité du drame (voir les *Jugements*, p. 152-153).

Mais ce succès même eut pour résultat de confirmer Mérimée dans la voie qu'il venait de découvrir. Celui qui signe encore *Mosaïque* du nom de « l'auteur du *Théâtre de Clara Gazul* » est déjà pour ses contemporains « l'auteur de *Mateo Falcone* » avant toute autre chose. Désormais, il va s'en tenir aux principes esthétiques qui ont présidé à la rédaction de ce premier chef-d'œuvre.

Il est peu douteux aussi que ces principes se soient imposés à ses successeurs. Faut-il voir déjà une trace de cette influence dans *la Vendetta* de Balzac (parue en janvier 1830)? On est plutôt porté à considérer les différences qui séparent les deux auteurs. Cependant, qui peut dire si le choix du sujet corse de la nouvelle de Balzac n'a pas été suggéré par le succès de *Mateo Falcone, Mœurs de la Corse*? On relève une influence plus nette dans le récit de Rosseeuw-Saint-Hilaire, *Sampiero et Vanina, Souvenirs de Corse*, paru dans la *Revue de Paris* (1831, tome XXIV, p. 27).

On a depuis longtemps remarqué tout ce que des conteurs comme Alphonse Daudet (*Contes du lundi*, et particulièrement *l'Enfant espion*) ou Maupassant, notamment dans *les Deux Amis*, doivent à l'auteur de *Mateo Falcone*. En ce sens, on peut dire que Mérimée est l'un des créateurs, non l'un des moindres, du réalisme dans le roman français du XIXᵉ siècle.

« Si vous avez tué un homme, allez dans le maquis de
Porto-Vecchio, et vous y vivrez en sûreté, avec un bon fusil,
de la poudre et des balles. » (Lignes 23-25.)

# MATEO FALCONE

En sortant de Porto-Vecchio[1] et se dirigeant au nord-ouest, vers l'intérieur de l'île, on voit le terrain s'élever assez rapidement, et, après trois heures de marche par des sentiers tortueux, obstrués par de gros quartiers de rocs, et quelquefois coupés par des ravins, on se trouve sur le bord d'un *maquis*[2] très étendu. Le maquis est la patrie des bergers corses et de quiconque s'est brouillé avec la justice. Il faut savoir que le laboureur corse, pour s'épargner la peine de fumer son champ, met le feu à une certaine étendue de bois : tant pis si la flamme se répand plus loin que besoin n'est ; arrive que pourra, on est sûr d'avoir une bonne récolte en semant sur cette terre fertilisée par les cendres des arbres qu'elle portait. Les épis enlevés, car on laisse la paille, qui donnerait de la peine à recueillir, les racines qui sont restées en terre sans se consumer poussent, au printemps suivant, des cépées[3] très épaisses qui, en peu d'années, parviennent à une hauteur de sept ou huit pieds. C'est cette manière de taillis fourré que l'on nomme maquis. Différentes espèces d'arbres et d'arbrisseaux le composent, mêlées et confondues comme il plaît à Dieu. Ce n'est que la hache à la main que l'homme s'y ouvrirait un passage, et l'on voit des maquis si épais et si touffus, que les mouflons[4] eux-mêmes ne peuvent y pénétrer. (1)

Si vous avez tué un homme, allez dans le maquis de Porto-Vecchio, et vous y vivrez en sûreté, avec un bon fusil, de la poudre et des balles ; n'oubliez pas un manteau brun garni

---

1. *Porto-Vecchio :* port et chef-lieu de canton sur la côte orientale de la Corse ; 2. *Maquis :* fourré, taillis quasi impénétrable. Les « bandits » y trouvaient un abri sûr. Certaines relations de voyageurs utilisaient aussi la forme *makis*. La forme corse est *macchia* (prononcer *mattia*) [du latin *macula*, tache (de végétation)] ; 3. *Cépées :* touffes de tiges ou rejets de bois sortant de la souche d'un arbre coupé ; 4. *Mouflon :* grand mouton aux poils sombres ; les mâles portent de grandes cornes en volutes.

---

### QUESTIONS

1. L'utilité de ce paragraphe ; la valeur pittoresque des détails géographiques. Est-ce seulement le pittoresque qui est mis en relief ? Quelle impression dominante se dégage du paysage corse d'après cette description ? — Le rapport entre le décor et les habitants : relevez les expressions qui suggèrent des traits de caractère propres au caractère corse.

d'un capuchon[1], qui sert de couverture et de matelas. Les bergers vous donnent du lait, du fromage et des châtaignes, et vous n'aurez rien à craindre de la justice ou des parents du mort, si ce n'est quand il vous faudra descendre à la ville
30 pour y renouveler vos munitions, (2)

Mateo Falcone, quand j'étais en Corse en 18..., avait sa maison à une demi-lieue de ce maquis. C'était un homme assez riche pour le pays; vivant noblement, c'est-à-dire sans rien faire, du produit de ses troupeaux, que des bergers,
35 espèces de nomades, menaient paître çà et là sur les montagnes. Lorsque je le vis, deux années après l'événement que je vais raconter, il me parut âgé de cinquante ans tout au plus. Figurez-vous un homme petit, mais robuste, avec des cheveux crépus, noirs comme le jais, un nez aquilin, les lèvres minces,
40 les yeux grands et vifs, et un teint couleur de revers de botte. Son habileté au tir au fusil passait pour extraordinaire, même dans son pays, où il y a tant de bons tireurs. Par exemple, Mateo n'aurait jamais tiré sur un mouflon avec des chevrotines; mais, à cent vingt pas, il l'abattait d'une balle dans
45 la tête ou dans l'épaule, à son choix. La nuit, il se servait de ses armes aussi facilement que le jour, et l'on m'a cité de lui ce trait d'adresse qui paraîtra peut-être incroyable à qui n'a pas voyagé en Corse. A quatre-vingts pas, on plaçait une chandelle allumée derrière un transparent de papier, large
50 comme une assiette. Il mettait en joue, puis on éteignait la chandelle, et, au bout d'une minute, dans l'obscurité la plus complète, il tirait et perçait le transparent trois fois sur quatre.

Avec un mérite aussi transcendant[2], Mateo Falcone s'était attiré une grande réputation. On le disait aussi bon ami que
55 dangereux ennemi : d'ailleurs serviable et faisant l'aumône,

---

**1.** *Pilone*, écrit en note Mérimée dans l'édition de 1842, au lieu de *ruppa*, que portait la première édition, et dont il a pu, au cours de son voyage, constater l'impropriété, car ce mot désignait une sorte de redingote à pans; **2.** *Transcendant* : qui s'élève (intellectuellement ou moralement) à une hauteur extraordinaire. Mérimée ne l'emploie pas ici sans quelque ironie.

---

**━━━━ QUESTIONS ━━━━**

**2.** Indiquez la nature des précisions qu'apporte ce paragraphe (lignes 23-30). Comment le ton évolue-t-il par rapport aux lignes 1-23 ? De quelle manière le narrateur semble-t-il considérer le meurtre quand il écrit : *Si vous avez tué un homme...* Peut-on y voir une autre indication concernant la psychologie des Corses? Pourquoi Mérimée a-t-il remplacé *ruppa* par *pilone* dans sa note de l'édition de 1842?

il vivait en paix avec tout le monde dans le district de Porto-Vecchio. Mais on contait de lui qu'à Corte[1], où il avait pris femme, il s'était débarrassé fort vigoureusement d'un rival qui passait pour aussi redoutable en guerre qu'en amour :
60 du moins on attribuait à Mateo certain coup de fusil qui surprit ce rival comme il était à se raser devant un petit miroir pendu à sa fenêtre. L'affaire assoupie, Mateo se maria. Sa femme Giuseppa lui avait donné d'abord trois filles (dont[2] il enrageait), et enfin un fils, qu'il nomma Fortunato : c'était
65 l'espoir de sa famille, l'héritier du nom. Les filles étaient bien mariées : leur père pouvait compter au besoin sur les poignards et les escopettes[3] de ses gendres. Le fils n'avait que dix ans, mais il annonçait déjà d'heureuses dispositions. (3)

Un certain jour d'automne, Mateo sortit de bonne heure
70 avec sa femme pour aller visiter un de ses troupeaux dans une clairière du maquis. Le petit Fortunato voulait l'accompagner, mais la clairière était trop loin; d'ailleurs, il fallait bien que quelqu'un restât pour garder la maison; le père refusa donc : on verra s'il n'eut pas lieu de s'en repentir. (4)
75 Il était absent depuis quelques heures, et le petit Fortunato était tranquillement étendu au soleil, regardant les montagnes bleues, et pensant que, le dimanche prochain, il irait dîner à la ville, chez son oncle le *caporal*[4], quand il fut soudainement

1. *Corte* : chef-lieu d'arrondissement du centre de la Corse; 2. Ce *dont*...; 3. *Escopette* : ancienne arme à feu portative, sorte de fusil court ou de pistolet long; le canon en était évasé comme celui d'un tromblon; 4. *Caporal.* « Les caporaux furent autrefois les chefs que se donnèrent les communes corses quand elles s'insurgèrent contre les seigneurs féodaux. Aujourd'hui, on donne encore quelquefois ce nom à un homme qui, par ses propriétés, ses alliances et sa clientèle, exerce une influence et une sorte de magistrature effective sur une *pieve* ou un canton. Les Corses se divisent, par une ancienne habitude, en cinq castes : les *gentilshommes* (dont les uns sont *magnifiques*, les autres *signori*), les *caporaux*, les *citoyens*, les *plébéiens* et les *étrangers* » (note de l'auteur).

## ──────── QUESTIONS ────────

3. Analysez la composition de ce portrait : quelle valeur lui donne le témoignage personnel du narrateur? — Ce portrait comporte-t-il beaucoup de détails sur le physique du personnage? L'analyse psychologique proprement dite y tient-elle beaucoup de place? Par quels traits se dégage cependant la personnalité de Mateo? — Relevez les détails qui suggèrent le genre de vie que l'on mène dans la maison de Mateo. Quel climat peut régner dans la vie familiale? — Les procédés qui révèlent la présence du narrateur et son ironie.

4. Caractérisez le ton et le style sur lequel s'engage le récit. — Quelle scène se trouve résumée en quelques lignes? — Analysez l'effet produit par le dernier membre de phrase (ligne 74) : en préparant le lecteur au drame, n'ôte-t-on pas à celui-ci une part de son intérêt?

interrompu dans ses méditations par l'explosion d'une
80 arme à feu. Il se leva et se tourna du côté de la plaine d'où
partait ce bruit. D'autres coups de fusil se succédèrent, tirés
à intervalles inégaux, et toujours de plus en plus rapprochés;
enfin, dans le sentier qui menait de la plaine à la maison de
Mateo, parut un homme, coiffé d'un bonnet pointu[1] comme
85 en portent les montagnards, barbu, couvert de haillons, et se
traînant avec peine en s'appuyant sur son fusil. Il venait de
recevoir un coup de feu dans la cuisse.

Cet homme était un *bandit*[2], qui, étant parti de nuit pour
aller chercher de la poudre à la ville, était tombé en route
90 dans une embuscade de voltigeurs corses[3]. Après une vigou-
reuse défense, il était parvenu à faire sa retraite, vivement
poursuivi et tiraillant de rocher en rocher. Mais il avait peu
d'avance sur les soldats, et sa blessure le mettait hors d'état
de gagner le maquis avant d'être rejoint. **(5)**

95 Il s'approcha de Fortunato et lui dit :

« Tu es le fils de Mateo Falcone?

— Oui.

— Moi, je suis Gianetto Sanpiero. Je suis poursuivi par
les collets jaunes[4]. Cache-moi, car je ne puis aller plus loin.

100 — Et que dira mon père si je te cache sans sa permission?

— Il dira que tu as bien fait.

— Qui sait?

— Cache-moi vite; ils viennent.

— Attends que mon père soit revenu. »

---

1. C'est le bonnet corse, en velours noir, souvent brodé de jais et de soie; la pointe
en était surmontée d'une sorte de houppe; 2. *Bandit*. « Ce mot est ici synonyme de
*proscrit* » (note de l'auteur). Ce sens s'explique par l'italien, où *bandito* veut dire
« banni »; c'est le « hors-la-loi », l'*outlaw* des Anglo-Saxons. C'est aussi le terme
dont Hugo, l'année suivante, qualifie Hernani (vers 125-130); 3. *Voltigeurs corses.*
« C'est un corps levé depuis peu d'années (6 novembre 1822) par le gouvernement,
et qui sert, concurremment avec la gendarmerie, au maintien de la police » (note de
l'auteur); 4. « L'uniforme des voltigeurs était alors un habit brun avec un *collet
jaune* » (note de l'auteur).

---

### QUESTIONS

5. Étudiez l'art avec lequel Mérimée fait pénétrer et progresser la violence dans son récit (lignes 75-94). — L'apparition du bandit produit-elle
cependant une impression de terreur? Par quels effets le narrateur sug-
gère-t-il que l'événement a quelque chose de « naturel » dans ce décor?
— Les explications et le retour en arrière des lignes 88-94 ne rompent-ils
pas la progression dramatique? Qu'en conclure sur la technique du récit
selon Mérimée?

taquiner - to tease
chou-chou - spoiled kid (a cat)

105 — Que j'attende? malédiction! Ils seront ici dans cinq minutes. Allons, cache-moi, ou je te tue. »

Fortunato lui répondit avec le plus grand sang-froid : [like dad]

« Ton fusil est déchargé, et il n'y a plus de cartouches dans ta carchera[1].

110 — J'ai mon stylet[2].

— Mais courras-tu aussi vite que moi? » [mechant]

Il fit un saut, et se mit hors d'atteinte. [jump back out of reach]

« Tu n'es pas le fils de Mateo Falcone! Me laisseras-tu donc arrêter devant ta maison? »

115 L'enfant parut touché.

« Que me donneras-tu si je te cache? » dit-il en se rapprochant.

Le bandit fouilla dans une poche de cuir qui pendait à sa ceinture, et il en tira une pièce de cinq francs qu'il avait réservée sans doute pour acheter de la poudre. Fortunato sourit à
120 la vue de la pièce d'argent; il s'en saisit, et dit à Gianetto :

« Ne crains rien. » (6) [takes money]

Aussitôt il fit un grand trou dans un tas de foin[3] placé auprès de la maison. Gianetto s'y blottit, et l'enfant le recouvrit de manière à lui laisser un peu d'air pour respirer, sans
125 qu'il fût possible cependant de soupçonner que ce foin cachât un homme. Il s'avisa, de plus, d'une finesse de sauvage assez ingénieuse. Il alla prendre une chatte et ses petits, et les établit sur le tas de foin pour faire croire qu'il n'avait pas été remué depuis peu. Ensuite, remarquant des traces de sang sur le
130 sentier près de la maison, il les couvrit de poussière avec soin, et, cela fait, il se recoucha au soleil avec la plus grande tranquillité. (7)

---

1. *Carchera* : « Ceinture de cuir qui sert de giberne et de portefeuille » (note de l'auteur); 2. *Stylet* : poignard à lame effilée et à pointe très fine; 3. Ce *tas de foin* semble à tous les commentateurs une invraisemblance; il n'y a pas de fourrage dans le maquis, et on ne voit pas de « tas de foin » près des maisons. C'est à peu près la seule inexactitude de ce genre que Mérimée n'ait pas corrigée après son voyage en Corse.

## QUESTIONS

6. Montrez que ce dialogue permet à l'auteur de condenser l'action; étudiez-en le caractère dramatique : brièveté, violence de la part de Gianetto, calme de Fortunato. — Le caractère de l'enfant d'après ses attitudes et ses répliques; dans quelle mesure semble-t-il conscient de la gravité de la situation? Quel sentiment le pousse à demander le prix de son service et à l'accepter?

7. Ce tas de foin (voir note 3) est peu vraisemblable en Corse. Pourquoi Mérimée a-t-il gardé ce détail? — Comment se complète le caractère de Fortunato? Quelle expression explique son comportement?

ruse - tricky

[margin notes: faire le chantage - blackmail; se blottir - curl up, turning in on; se blottir - nestle, turning in on itself]

Quelques minutes après, six hommes en uniforme brun à
collet jaune, et commandés par un adjudant, étaient devant
135 la porte de Mateo. Cet adjudant était quelque peu parent de
Falcone. (On sait qu'en Corse on suit les degrés de parenté
beaucoup plus loin qu'ailleurs[1].) Il se nommait Tiodoro Gamba :
c'était un homme actif, fort redouté des bandits dont il avait
déjà traqué plusieurs.

140 « Bonjour, petit cousin, dit-il à Fortunato en l'abordant;
comme te voilà grandi! As-tu vu passer un homme tout à
l'heure?

— Oh! je ne suis pas encore si grand que vous, mon cousin,
répondit l'enfant d'un air niais.

145 — Cela viendra. Mais n'as-tu pas vu passer un homme,
dis-moi?

— Si j'ai vu passer un homme?

— Oui, un homme avec un bonnet pointu en velours noir,
et une veste brodée de rouge et de jaune?

150 — Un homme avec un bonnet pointu, et une veste brodée
de rouge et de jaune?

— Oui, réponds vite, et ne répète pas mes questions.

— Ce matin, M. le Curé est passé devant notre porte, sur
son cheval Piero. Il m'a demandé comment papa se portait,
155 et je lui ai répondu...

— Ah! petit drôle, tu fais le malin! Dis-moi vite par où
est passé Gianetto, car c'est lui que nous cherchons; et, j'en
suis certain, il a pris ce sentier.

— Qui sait?

160 — Qui sait? C'est moi qui sais que tu l'as vu.

— Est-ce qu'on voit les passants quand on dort?

— Tu ne dormais pas, vaurien; les coups de fusil t'ont
réveillé.

— Vous croyez donc, mon cousin, que vos fusils font tant
165 de bruit? L'escopette de mon père en fait bien davantage.

— Que le diable te confonde, maudit garnement! Je suis
bien sûr que tu as vu le[2] Gianetto. Peut-être même l'as-tu
caché. Allons, camarades, entrez dans cette maison, et voyez
si notre homme n'y est pas. Il n'allait plus que d'une patte,
170 et il a trop de bon sens, le coquin, pour avoir cherché à gagner

---

1. Mérimée se moquera un peu de ce trait de mœurs au début de *Colomba* (où
Orso Della Rebbia est d'abord présenté comme le « petit-cousin du parrain du
fils aîné » du patron de la goélette, chapitre II, 1ᵉʳ paragraphe); 2. L'emploi de
l'article devant le nom propre de personne marque ici surtout le mépris.

le maquis en clopinant. D'ailleurs, les traces de sang s'arrêtent ici.

— Et que dira papa? demanda Fortunato en ricanant; que dira-t-il s'il sait qu'on est entré dans sa maison pendant qu'il
75 était sorti?

— Vaurien! dit l'adjudant Gamba en le prenant par l'oreille, sais-tu qu'il ne tient qu'à moi de te faire changer de note? Peut-être qu'en te donnant une vingtaine de coups de plat de sabre tu parleras enfin. »
80 Et Fortunato ricanait toujours.

« Mon père est Mateo Falcone! dit-il avec emphase.

— Sais-tu bien, petit drôle, que je puis t'emmener à Corte ou à Bastia. Je te ferai coucher dans un cachot, sur la paille, les fers aux pieds, et je te ferai guillotiner si tu ne dis où est
85 Gianetto Sanpiero. »

L'enfant éclata de rire à cette ridicule menace. Il répéta : « Mon père est Mateo Falcone.

— Adjudant[1], dit tout bas un des voltigeurs, ne nous brouillons pas avec Mateo. » **(8)**
90 Gamba paraissait évidemment embarrassé **(9)**. Il causait à voix basse avec ses soldats, qui avaient déjà visité toute la maison. Ce n'était pas une opération fort longue, car la cabane d'un Corse ne consiste qu'en une seule pièce carrée. L'ameublement se compose d'une table qui sert de lit, de
95 bancs, de coffres et d'ustensiles de chasse ou de ménage. Cependant le petit Fortunato caressait sa chatte, et semblait jouir malignement de la confusion des voltigeurs et de son cousin.

Un soldat s'approcha du tas de foin. Il vit la chatte, et donna un coup de baïonnette[2] dans le foin avec négligence, et en

---

1. *Adjudant*, au lieu de « *mon* adjudant ». L'adjectif possessif n'a été rendu obligatoire que plus tard; 2. *Baïonnette :* terme impropre, car les « voltigeurs » n'avaient qu'une carabine, des pistolets et un sabre.

─────── **QUESTIONS** ───────

8. Comparez ce dialogue avec celui de Fortunato et de Gianetto (lignes 95-121) : quels traits du caractère de l'enfant se révèlent ou se précisent? Fortunato est-il impressionné par l'adjudant? En quoi ses réponses sont-elles habiles? Pourquoi l'interrogatoire mené par Gamba et les menaces qui l'accompagnent n'ont-ils pas sur Fortunato l'efficacité qu'ils pourraient avoir sur un adulte? — Mérimée a-t-il su peindre avec vraisemblance un enfant de dix ans?

9. Pourquoi Gamba est-il embarrassé? Comment son caractère se révèle-t-il jusqu'ici?

flatter – flatter
mûr – mature

200 haussant les épaules, comme s'il sentait que sa précaution était
ridicule. Rien ne remua; et le visage de l'enfant ne trahit pas
la plus légère émotion. (10)

L'adjudant et sa troupe se donnaient au diable[1]; déjà ils
regardaient sérieusement du côté de la plaine, comme dis-
205 posés à s'en retourner par où ils étaient venus, quand leur
chef, convaincu que les menaces ne produiraient aucune
impression sur le fils de Falcone, voulut faire un dernier effort
et tenter le pouvoir des caresses[2] et des présents.

« Petit cousin, dit-il, tu me parais un gaillard bien éveillé!
210 Tu iras loin. Mais tu joues un vilain jeu avec moi; et, si je ne
craignais de faire de la peine à mon cousin Mateo, le diable
m'emporte! je t'emmènerais avec moi.

— Bah!

— Mais, quand mon cousin sera revenu, je lui conterai
215 l'affaire, et, pour ta peine d'avoir menti, il te donnera le fouet
jusqu'au sang.

— Savoir[3]? Are you sûr?

— Tu verras... Mais tiens... sois brave garçon, et je te donnerai quelque chose.            good

220 — Moi, mon cousin, je vous donnerai un avis : c'est que,
si vous tardez davantage, le Gianetto sera dans le maquis, et
alors il faudra plus d'un luron comme vous pour aller l'y
chercher. » (11)

L'adjudant tira de sa poche une montre d'argent qui valait
225 bien dix écus; et, remarquant que les yeux du petit Fortunato
étincelaient en la regardant, il lui dit en tenant la montre
suspendue au bout de sa chaîne d'acier :

---

1. *Se donnaient au diable* : se désespéraient; 2. *Caresses :* amabilités, flatteries;
3. C'est-à-dire « on verra bien », « ce n'est pas sûr ».

---

**QUESTIONS**

---

**10.** Est-il vraisemblable que la maison du riche Mateo soit si sommai-
rement meublée? Comment expliquez-vous que Mérimée la dépeigne
ainsi? Quel moment important dans le déroulement du récit se situe à
l'instant où le soldat plonge la baïonnette dans le tas de foin (ligne 199)?
Tirez-en une conclusion sur la structure du récit.

**11.** Pour le lecteur qui sait les intentions de l'adjudant (lignes 209-212),
comment se traduit ce changement dans les propos qu'il tient? L'enfant
peut-il deviner la ruse de son interlocuteur? Quels sont les sentiments
qui transparaissent à travers les répliques de Fortunato? Précisez surtout
l'intérêt et la valeur de la dernière réplique. — En quoi cette scène atteint-
elle au tragique?

« Fripon! tu voudrais bien avoir une montre comme celle-ci
suspendue à ton col, et tu te promènerais dans les rues de
230 Porto-Vecchio, fier comme un paon; et les gens te demande-
raient : « Quelle heure est-il? » et tu leur dirais : « Regardez
à ma montre. »

— Quand je serai grand, mon oncle le caporal me donnera
une montre.

235 — Oui; mais le fils de ton oncle en a déjà une... pas aussi
belle que celle-ci, à la vérité... Cependant il est plus jeune
que toi. »

L'enfant soupira.

« Eh bien, la veux-tu, cette montre, petit cousin? »

240 Fortunato, lorgnant la montre du coin de l'œil, ressemblait
à un chat à qui l'on présente un poulet tout entier. Comme
il sent qu'on se moque de lui, il n'ose y porter la griffe, et de
temps en temps il détourne les yeux pour ne pas s'exposer à
succomber à la tentation; mais il se lèche les babines à tout
245 moment, et il a l'air de dire à son maître : « Que votre plaisanterie est cruelle! » (12)

Cependant l'adjudant Gamba semblait de bonne foi en
présentant sa montre. Fortunato n'avança pas la main; mais
il lui dit avec un sourire amer :

250 « Pourquoi vous moquez-vous de moi[1]? »

— Par Dieu! je ne me moque pas. Dis-moi seulement où
est Gianetto, et cette montre est à toi. »

Fortunato laissa échapper un sourire d'incrédulité; et,
fixant ses yeux noirs sur ceux de l'adjudant, il s'efforçait d'y
255 lire la foi qu'il devait avoir en ses paroles.

« Que je perde mon épaulette, s'écria l'adjudant, si je ne
te donne pas la montre à cette condition! Les camarades
sont témoins; et je ne puis m'en dédire. »

En parlant ainsi, il approchait toujours la montre, tant,
260 qu'elle touchait presque la joue pâle de l'enfant. Celui-ci
montrait bien sur sa figure le combat que se livraient en son

---

1. « *Perchè me c...?* » (note de l'auteur).

---
QUESTIONS

12. A quoi l'adjudant devine-t-il qu'il a touché juste? Comment pousse-
t-il peu à peu son avantage? A quels sentiments fait-il appel chez
Fortunato? Les différentes étapes de la résistance à la convoitise chez
l'enfant : la comparaison avec le chat (lignes 240-246) vous paraît-elle
s'harmoniser au récit? Y a-t-il eu déjà des comparaisons
et des détails qui pouvaient préparer le lecteur à cette image?

âme la convoitise et le respect dû à l'hospitalité. Sa poitrine
nue se soulevait avec force, et il semblait près d'étouffer.
Cependant la montre oscillait, tournait, et quelquefois lui
265 heurtait le bout du nez. Enfin, peu à peu, sa main droite s'éleva
vers la montre : le bout de ses doigts la toucha ; et elle pesait
tout entière dans sa main sans que l'adjudant lâchât pourtant
le bout de la chaîne... Le cadran était azuré... la boîte nouvellement fourbie... au soleil, elle paraissait toute de feu... La ten-
270 tation était trop forte. **(13)**

Fortunato éleva aussi sa main gauche, et indiqua du pouce,
par-dessus son épaule, le tas de foin auquel il était adossé.
L'adjudant le comprit aussitôt. Il abandonna l'extrémité de
la chaîne, Fortunato se sentit seul possesseur de la montre.
275 Il se leva avec l'agilité d'un daim, et s'éloigna de dix pas du
tas de foin, que les voltigeurs se mirent aussitôt à culbuter.

On ne tarda pas à voir le foin s'agiter ; et un homme sanglant, le poignard à la main, en sortit ; mais, comme il essayait
de se lever en pied[1], sa blessure refroidie ne lui permit plus
280 de se tenir debout. Il tomba. L'adjudant se jeta sur lui et lui
arracha son stylet. Aussitôt on le garrotta fortement, malgré
sa résistance.

Gianetto, couché par terre, et lié comme un fagot, tourna
la tête vers Fortunato qui s'était rapproché.
285 « Fils de...! » lui dit-il avec plus de mépris que de colère.

L'enfant lui jeta la pièce d'argent qu'il en avait reçu, sentant qu'il avait cessé de la mériter ; mais le proscrit n'eut pas
l'air de faire attention à ce mouvement. Il dit avec beaucoup
de sang-froid à l'adjudant :
290 « Mon cher Gamba, je ne puis marcher ; vous allez être obligé
de me porter à la ville.

— Tu courais tout à l'heure plus vite qu'un chevreuil, repartit
le cruel vainqueur ; mais sois tranquille : je suis si content

---

1. *En pied* : emploi vieilli pour « sur ses pieds », « debout ». Mérimée écrit
ailleurs : « Il sauta *en pieds*, et courut à la pendule » (alors que le personnage était
couché).

―――――――― **QUESTIONS** ――――――――

13. Relevez tous les traits qui accentuent et font durer ce moment
décisif du débat entre les deux interlocuteurs. Les gestes et les paroles
de l'adjudant : en quoi incarne-t-il le personnage éternel du séducteur? —
Comment l'auteur a-t-il peint les effets de la convoitise sur l'enfant?
Vous paraît-il avoir suffisamment exposé les mobiles psychologiques de
la dénonciation? Ce moyen risquait-il de réussir d'après ce que nous
avions appris dans la scène entre le bandit et l'enfant (lignes 115-121)?

de te tenir, que je te porterais une lieue sur mon dos sans être
295 fatigué. Au reste, mon camarade, nous allons te faire une
litière avec des branches et ta capote; et à la ferme de Crespoli[1]
nous trouverons des chevaux.

— Bien, dit le prisonnier; vous mettrez aussi un peu de
paille sur votre litière, pour que je sois plus commodément. » **(14)**
300     Pendant que les voltigeurs s'occupaient, les uns à faire une
espèce de brancard avec des branches de châtaignier, les autres
à panser la blessure de Gianetto, Mateo Falcone et sa femme
parurent tout d'un coup au détour d'un sentier qui conduisait
au maquis. La femme s'avançait courbée péniblement sous le
305 poids d'un énorme sac de châtaignes, tandis que son mari se
prélassait, ne portant qu'un fusil à la main et un autre en
bandoulière; car il est indigne d'un homme de porter d'autre
fardeau que ses armes.

À la vue des soldats, la première pensée de Mateo fut qu'ils
310 venaient pour l'arrêter. Mais pourquoi cette idée? Mateo
avait-il donc quelques démêlés avec la justice? Non. Il jouissait
d'une bonne réputation. C'était, comme on dit, *un particulier
bien famé[2];* mais il était Corse et montagnard, et il y a peu
de Corses montagnards qui, en scrutant bien leur mémoire,
315 n'y trouvent quelque peccadille, telle que coups de fusil, coups
de stylet et autres bagatelles. Mateo, plus qu'un autre, avait
la conscience nette, car depuis plus de dix ans il n'avait dirigé
son fusil contre un homme; mais toutefois il était prudent,
et il se mit en posture de faire une belle défense, s'il en était
320 besoin.

« Femme, dit-il à Giuseppa, mets bas ton sac et tiens-toi
prête. »

Elle obéit sur-le-champ. Il lui donna le fusil qu'il avait en
bandoulière et qui aurait pu le gêner. Il arma celui qu'il avait
325 à la main, et il s'avança lentement vers sa maison, longeant

---

1. *Crespoli :* on ne connaît pas d'endroit de ce nom; il s'agit peut-être du nom du
fermier, imaginé par Mérimée; 2. *Un particulier bien famé :* style appartenant au
langage familier et à celui des rapports de gendarmerie.

--------- **QUESTIONS** ---------

**14.** Les deux mouvements successifs dans cette scène de la découverte
et de l'arrestation de Gianetto : d'où vient le contraste entre les lignes 271-
282 et les lignes 290-299? — Les réactions de Fortunato pendant cette
scène : le romancier attribue-t-il à l'enfant des remords parfaitement
conscients? Comment Fortunato est-il maintenant traité par tous les
hommes qui l'entourent, aussi bien par les bandits que par les soldats?

les arbres qui bordaient le chemin, et prêt, à la moindre
démonstration hostile, à se jeter derrière le plus gros tronc,
d'où il aurait pu faire feu à couvert. Sa femme marchait sur
ses talons, tenant son fusil de rechange et sa giberne. L'emploi
330 d'une bonne ménagère, en cas de combat, est de charger les
armes de son mari. **(15)**

D'un autre côté, l'adjudant était fort en peine en voyant
Mateo s'avancer ainsi, à pas comptés, le fusil en avant et le
doigt sur la détente.

335 « Si par hasard, pensa-t-il, Mateo se trouvait parent de
Gianetto, ou s'il était son ami, et qu'il voulût le défendre,
les bourres[1] de ses deux fusils arriveraient à deux d'entre nous,
aussi sûr qu'une lettre à la poste, et s'il me visait, nonobstant
la parenté!... »

340 Dans cette perplexité, il prit un parti fort courageux, ce
fut de s'avancer seul vers Mateo pour lui conter l'affaire, en
l'abordant comme une vieille connaissance; mais le court
intervalle qui le séparait de Mateo lui parut terriblement long.

« Holà! eh! mon vieux camarade, criait-il, comment cela
345 va-t-il, mon brave? C'est moi, je suis Gamba, ton cousin. »

Mateo, sans répondre un mot, s'était arrêté, et, à mesure
que l'autre parlait, il relevait doucement le canon de son fusil,
de sorte qu'il était dirigé vers le ciel au moment où l'adjudant
le joignit. **(16)**

350 « Bonjour, frère[2], dit l'adjudant en lui tendant la main.
Il y a bien longtemps que je ne t'ai vu.

— Bonjour, frère.

— J'étais venu pour te dire bonjour en passant et à ma
cousine Pepa[3]. Nous avons fait une longue traite aujourd'hui :

---

1. La *bourre* est le tampon que l'on met par-dessus la charge des armes à feu pour
la maintenir; 2. « *Buon giorno, fratello,* salut ordinaire des Corses » (note de l'auteur);
3. *Pepa* : diminutif affectueux de Giuseppa.

---

### QUESTIONS

**15.** Quels nouveaux détails sur les mœurs corses nous révèlent les
lignes 300-331? (attitude à l'égard de l'ennemi vaincu, condition de
la femme, importance accordée au respect de la vie humaine, sentiments
à l'égard de la police)? Quel ton l'écrivain prend-il volontiers quand il
évoque certains aspects de la vie corse?

**16.** Comparez l'attitude et les réflexions de Gamba (lignes 335-339) à
celles de Mateo dans les paragraphes précédents : comment est mis en
évidence le mécanisme psychologique de la méfiance mutuelle? — En
quoi consiste le courage de Gamba? Pour quelle raison Mateo ne répond-il
pas d'abord? Quel trait de son caractère se dévoile ainsi?

355 mais il ne faut pas plaindre notre fatigue, car nous avons
fait une fameuse prise. Nous venons d'empoigner Gianetto
Sanpiero.

— Dieu soit loué! s'écria Giuseppa. Il nous a volé une
chèvre laitière la semaine passée. »

360 Ces mots réjouirent Gamba.

« Pauvre diable! dit Mateo, il avait faim. **(17)**

— Le drôle s'est défendu comme un lion, poursuivit l'adjudant un peu mortifié; il m'a tué un de mes voltigeurs, et, non
content de cela, il a cassé le bras au caporal Chardon; mais il
365 n'y a pas grand mal, ce n'était qu'un Français[1]... Ensuite, il
s'était si bien caché, que le diable ne l'aurait pu découvrir.
Sans mon petit cousin Fortunato, je ne l'aurais jamais pu
trouver.

— Fortunato! s'écria Mateo.
370 — Fortunato! répéta Giuseppa.

— Oui, le Gianetto s'était caché sous ce tas de foin là-bas;
mais mon petit cousin m'a montré la malice. Aussi je le dirai
à son oncle le caporal, afin qu'il lui envoie un beau cadeau
pour sa peine. Et son nom et le tien seront dans le rapport
375 que j'enverrai à M. l'avocat général.

— Malédiction! » dit tout bas Mateo.

Ils avaient rejoint le détachement. Gianetto était déjà couché
sur la litière et prêt à partir. Quand il vit Mateo en la compagnie
de Gamba, il sourit d'un sourire étrange; puis, se tournant
380 vers la porte de la maison, il cracha sur le seuil en disant :
« Maison d'un traître! »

Il n'y avait qu'un homme décidé à mourir qui eût osé prononcer le mot de traître en l'appliquant à Falcone. Un bon
coup de stylet, qui n'aurait pas eu besoin d'être répété, aurait
385 immédiatement payé l'insulte. Cependant Mateo ne fit pas

---

1. La fierté des Corses est proverbiale et leur a longtemps inspiré le mépris de
l'étranger. Sous la domination de Gênes, ils disaient volontiers : « Ce n'est qu'un
Gênois. » « Il leur est même arrivé quelquefois de dire : ce n'est qu'un Français!... »,
dit la *Revue trimestrielle* (1828). Mérimée a utilisé encore l'expression dans *Tamango*,
(page 86, lignes 774-775) , où le gouverneur de Kingston trouve « justifiable » le
cas de Tamango, « puisque, après tout, il n'avait fait qu'user du droit de légitime
défense; et puis ceux qu'il avait tués *n'étaient que des Français* ».

---

**QUESTIONS** ────────────────

**17.** Comment expliquez-vous les réactions différentes de Giuseppa et
de Mateo?

d'autre geste que celui de porter sa main à son front comme un homme accablé. **(18)**

Fortunato était entré dans la maison en voyant arriver son père. Il reparut bientôt avec une jatte de lait, qu'il présenta
390 les yeux baissés à Gianetto.

« Loin de moi! » lui cria le proscrit d'une voix foudroyante.

Puis se tournant vers un des voltigeurs :

« Camarade, donne-moi à boire », dit-il.

Le soldat remit sa gourde entre ses mains, et le bandit but
395 l'eau que lui donnait un homme avec lequel il venait d'échanger des coups de fusil. Ensuite il demanda qu'on lui attachât les mains de manière qu'il les eût croisées sur sa poitrine, au lieu de les avoir liées derrière le dos.

« J'aime, disait-il, à être couché à mon aise. »

400 On s'empressa de le satisfaire, puis l'adjudant donna le signal du départ, dit adieu à Mateo, qui ne lui répondit pas, et descendit au pas accéléré vers la plaine. **(19)**

Il se passa près de dix minutes avant que Mateo ouvrît la bouche. L'enfant regardait d'un œil inquiet tantôt sa mère
405 et tantôt son père, qui, s'appuyant sur son fusil, le considérait avec une expression de colère concentrée.

« Tu commences bien! » dit enfin Mateo d'une voix calme, mais effrayante pour qui connaissait l'homme.

« Mon père! » s'écria l'enfant en s'avançant les larmes aux
410 yeux comme pour se jeter à ses genoux.

Mais Mateo lui cria :

« Arrière de moi! »

Et l'enfant s'arrêta et sanglota, immobile, à quelques pas de son père.

━━━ ● **QUESTIONS** ━━━

**18.** Pourquoi l'adjudant est-il un peu *mortifié* après la réplique de Mateo (ligne 363)? — Comment est-il amené à commettre l'énorme maladresse qui consiste à faire l'éloge de l'acte de Fortunato? De quelle façon voit-il les choses? Sur quel ton Mateo et Giuseppa disent-ils chacun *Fortunato!* (lignes 369-370)? Pourquoi Mateo s'écrie-t-il : « *Malédiction!* » (ligne 376)? — La seconde épreuve infligée à Mateo (lignes 377-381) : en quoi est-elle plus cruelle pour lui que les éloges décernés par l'adjudant? Quels sentiments sont traduits par l'attitude de Mateo (lignes 386-388)?

**19.** L'importance dramatique de cette scène où sont réunis tous les personnages. Montrez que le comportement de chacun d'eux se trouve influencé par la présence des autres. — Quelle signification Fortunato veut-il donner à son geste, en offrant une jatte de lait au bandit? — L'attitude de Mateo : pourquoi ne répond-il pas à l'adieu de l'adjudant? Peut-on deviner où se tient Giuseppa pendant toute cette scène? Pourquoi le narrateur n'en dit-il rien?

415 Giuseppa s'approcha. Elle venait d'apercevoir la chaîne de la montre, dont un bout sortait de la chemise de Fortunato.

« Qui t'a donné cette montre? demanda-t-elle d'un ton sévère.

— Mon cousin l'adjudant. »

420 Falcone saisit la montre, et, la jetant avec force contre une pierre, il la mit en mille pièces.

« Femme, dit-il, cet enfant est-il de moi? »

Les joues brunes de Giuseppa devinrent d'un rouge de brique.

« Que dis-tu, Mateo? et sais-tu bien à qui tu parles?

425 — Eh bien, cet enfant est le premier de sa race qui ait fait une trahison. » **(20)**

Les sanglots et les hoquets de Fortunato redoublèrent, et Falcone tenait ses yeux de lynx toujours attachés sur lui. Enfin, il frappa la terre de la crosse de son fusil, puis le rejeta
430 sur son épaule et reprit le chemin du maquis en criant à Fortunato de le suivre. L'enfant obéit.

Giuseppa courut après Mateo et lui saisit le bras.

« C'est ton fils, lui dit-elle d'une voix tremblante en attachant ses yeux noirs sur ceux de son mari, comme pour lire
435 ce qui se passait dans son âme.

— Laisse-moi, répondit Mateo : je suis son père. »

Giuseppa embrassa son fils et entra en pleurant dans sa cabane. Elle se jeta à genoux devant une image de la Vierge et pria avec ferveur **(21)**. Cependant Falcone marcha quelque
440 deux cents pas dans le sentier et ne s'arrêta que dans un petit

——— QUESTIONS ———

**20.** Est-ce une scène de famille ou le procès d'un coupable qui se déroule ici? Dégagez dans l'attitude et les paroles des personnages ce qui donne ce double caractère de banalité et de grandeur. — Le rôle de la mère : qu'y a-t-il de tragique à la voir d'abord accusatrice puis accusée? — Le verdict prononcé par Mateo : comment une seule phrase (ligne 436) fait-elle comprendre au nom de quel droit le père prononce une sentence qui est une condamnation à mort? Pourquoi le père ne précise-t-il pas la décision qu'il vient de prendre?

**21.** D'où vient le pathétique de cette scène? Comment Mérimée donne-t-il à chacun des personnages une majesté tragique? Quelles réminiscences de légendes bibliques ou antiques entourent également ce tableau d'une grandeur épique? — Rapprochez la réplique de Mateo de celles que Fortunato adressait au bandit (lignes 100-104), puis à l'adjudant (lignes 173-181) : quel est le principe auquel tous se soumettent? En quoi ce principe a-t-il dominé la tragédie pour mener l'action à un dénouement inévitable?

ravin où il descendit. Il sonda la terre avec la crosse de son
fusil et la trouva molle et facile à creuser. L'endroit lui parut
convenable pour son dessein.

« Fortunato, va auprès de cette grosse pierre. »

445 L'enfant fit ce qu'il lui commandait, puis il s'agenouilla.

« Dis tes prières.

— Mon père, mon père, ne me tuez pas.

— Dis tes prières! » répéta Mateo d'une voix terrible.

L'enfant tout en balbutiant et en sanglotant, récita le *Pater*
450 et le *Credo*. Le père, d'une voix forte, répondait *Amen!* à la
fin de chaque prière.

« Sont-ce là toutes les prières que tu sais?

— Mon père, je sais encore l'*Ave Maria* et la litanie que ma
tante m'a apprise.

455 — Elle est bien longue, n'importe. »

L'enfant acheva la litanie d'une voix éteinte.

« As-tu fini?

— Oh! mon père, grâce! pardonnez-moi! Je ne le ferai plus!
Je prierai tant mon cousin le caporal qu'on fera grâce au
460 Gianetto. »

Il parlait encore; Mateo avait armé son fusil et le couchait
en joue en lui disant :

« Que Dieu te pardonne! »

L'enfant fit un effort désespéré pour se relever et embrasser
465 les genoux de son père; mais il n'en eut pas le temps, Mateo
fit feu, et Fortunato tomba roide mort. (22)

Sans jeter un coup d'œil sur le cadavre, Mateo reprit le
chemin de sa maison pour aller chercher une bêche afin d'enterrer son fils. Il avait fait à peine quelques pas qu'il rencontra
470 Giuseppa, qui accourait alarmée du coup de feu.

« Qu'as-tu fait? s'écria-t-elle.

— Justice.

— Où est-il?

———————— QUESTIONS ————————

22. Puisqu'on est déjà fixé sur le sort de l'enfant, pourquoi l'auteur
continue-t-il imperturbablement la narration? En quoi le dialogue entre
le père et le fils est-il intensément dramatique? Y a-t-il des indices qui
révèlent d'ultimes hésitations chez Mateo? Que montre cependant la
phrase « *Que Dieu te pardonne!* » (ligne 463)? — Commentez le choix
des détails et le mouvement des lignes 464-466. Par quels procédés
Mérimée atteint-il la grandeur?

— Dans le ravin. Je vais l'enterrer. Il est mort en chrétien;
75 je lui ferai chanter une messe. Qu'on dise à mon gendre Tiodoro Bianchi de venir demeurer avec nous. » **(23)**

[handwritten: *wants to replace fortunato*] 1829[1].

[handwritten: *péché — sin*]
[handwritten: *le pire — worst*]

---

**1.** Le manuscrit autographe porte à la fin deux lignes en grec, dont la première indique la date de composition : 14 février 1829.

―――――― **QUESTIONS** ――――――

**23.** Comment interpréter les derniers gestes de Mateo et le dialogue qu'il échange avec sa femme? La brièveté de ses propos traduit-elle une dureté insensible ou une émotion refoulée? — Quelle est son intention en donnant immédiatement l'ordre de faire venir un de ses gendres auprès de lui?

SUR L'ENSEMBLE DE « MATEO FALCONE ». — Étudiez la composition de la nouvelle. Montrez l'enchaînement rigoureux des épisodes à partir de certaines données admises dès le début. En quoi la fatalité a-t-elle conduit l'action vers un dénouement qui était inévitable, quand on sait les principes auxquels le Corse Mateo Falcone reste d'une fidélité intransigeante?

— Montrez que les épisodes de ce récit peuvent se diviser en un certain nombre de *scènes* : celles-ci sont-elles toutes traitées selon la même technique? Lesquelles sont développées? Lesquelles sont resserrées et condensées? Qu'en résulte-t-il sur la marche du temps?

— Faites le portrait de chacun des principaux personnages. Quels sentiments éprouvez-vous finalement pour Fortunato? pour l'adjudant? pour Mateo?

— Étudiez l'art des préparations dans la peinture de ce dernier.

— Que pensez-vous, d'une façon générale, de la psychologie des personnages?

— L'art du dialogue : les répliques brèves, vivantes. Montrez que chaque personnage a un langage qui lui est propre et le caractérise (même les personnages secondaires). Pourquoi Mérimée a-t-il fait de Mateo un personnage si avare de paroles?

— La *couleur locale* dans cette nouvelle : montrez qu'elle consiste en quelques touches, que vous relèverez, habilement choisies dans des lectures et heureusement disposées. A quoi sont dues les rares inexactitudes?

— D'après le relevé des variantes (voir Notice, pages 16-17), étudiez le travail du style chez Mérimée.

« On se battit corps à corps au milieu d'une fumée si épaisse, que l'on ne pouvait se voir. » (Lignes 176-177.)

Bataille de la Moskova, lithographie d'Hippolyte Bellangé (1800-1866). — Bibliothèque nationale.

# L'ENLÈVEMENT DE
# LA REDOUTE
## 1829

## *NOTICE*

### PUBLICATION

*L'Enlèvement de la redoute* parut pour la première fois dans la *Revue française* de septembre-octobre 1829, sous ce titre. Le titre fautif *l'Enlèvement d'une redoute* ne figurait qu'à la Table des matières. La nouvelle fut reprise ensuite dans *Mosaïque* en 1833; son destin fut alors celui des autres nouvelles du recueil.

Dans la livraison de la *Revue française*, le texte était précédé d'un Avertissement ainsi libellé :

« Ce n'est guère notre usage d'insérer des articles qui n'aient pour objet ni de rendre compte de quelque ouvrage récent, ni de traiter quelque question provoquée par l'état des affaires ou des esprits. Nous nous sommes empressés cependant d'accueillir quelques essais originaux dont l'à-propos et le mérite ne pouvaient manquer d'exciter l'intérêt de nos lecteurs. La *Scène contemporaine* que nous publions aujourd'hui est du plus vif intérêt. Nous ne prendrons pas ce moment pour répéter ce que nous avons déjà dit du talent de M. Mérimée, de sa vérité, de sa verve; mais, si quelqu'un pouvait douter qu'à lui surtout il appartient de retracer en scènes, en dialogues, en drames les événements et les mœurs de notre époque, qu'il lise *l'Enlèvement de la redoute*, et qu'il dise si ce ne sont pas les meilleurs matériaux que l'histoire ait un jour à consulter. »

### LES SOURCES DU RÉCIT

Mérimée déclare tenir son récit d'un témoin, militaire déjà mort au moment où il écrit. Son nom commence par un P. On a admis, sur la foi d'une note de P. J. Boitel, dans un recueil scolaire (les *Meilleurs Auteurs français*, Éd. Delagrave), que cet officier se nommait Pasquier, et des recherches ont été effectuées par Fr. Michel[1]

---

1. Fr. Michel a effectué ces recherches à l'intention de J. Mallion et M. Parturier, pour leur édition des *Morceaux choisis de Prosper Mérimée* (Didier, éditeur, 1952). Voir, dans cette édition, la Notice de *l'Enlèvement de la redoute*, page 133.

pour en savoir davantage. Il est arrivé aux résultats suivants :
la redoute de Schwardino (ou Chvardino), que Mérimée appelle
Cheverino (une déformation de ce genre est bien caractéristique
d'une transmission orale : preuve de la véracité de Mérimée, ou
de son habileté à donner le change ?), fut attaquée le 5 septembre 1812,
essentiellement par la division Compans (*le général C.* de la nouvelle),
qui comprenait quatre régiments de ligne : le 25ᵉ, le 57ᵉ, le 61ᵉ et
le 111ᵉ. Fr. Michel découvre que le seul Pasquier qu'on trouve sur
les contrôles de ces régiments en 1812, dans le 25ᵉ d'infanterie,
Thomas Louis Pasquier, était d'une origine très modeste. Il n'a
donc pu fréquenter le salon de Mᵐᵉ de Boigne (*Madame de B.* dans
la nouvelle). Mais, à vrai dire, dans ce domaine, on ne peut rien
affirmer fermement. S'agit-il vraiment de Pasquier ? Si oui, comment Mérimée le connaissait-il ? Même si c'était en dehors du *salon
de la rue de Provence* qu'il fréquentait (celui de Mᵐᵉ de Boigne),
n'aurait-il pas pu rapprocher son nom, pour une raison ou une
autre, de celui du chancelier Pasquier, intime de Mᵐᵉ de Boigne ?
Il n'est pas nécessaire, de toute façon, de supposer que ces deux
hommes du nom de Pasquier aient été parents pour admettre que
Mérimée les ait connus tous les deux. Ce qui tendrait à faire croire
à une « source » orale authentique, outre le caractère même du
récit, ce sont certains détails inexacts ou exagérés qui ne concordent
pas avec les indications « écrites » des historiens. Ainsi, la nouvelle
exagère les pertes des Français et des Russes. Aucun des quatre
colonels qui menèrent l'assaut ne fut tué.

Il est peu probable de toute façon que Mérimée n'ait pas eu recours
au livre, alors tout récent, de Philippe de Ségur : *Histoire de Napoléon et de la Grande Armée*. Il avait paru en 1824. Voici comment il
racontait (livre VII, chapitre V) la prise de la redoute de Schwardino :

> On découvrit la première redoute russe : trop détachée en avant de la
> gauche de leur position, elle la défendait sans en être défendue. Les accidents
> du sol avaient obligé de l'isoler ainsi.
> Compans profita habilement des ondulations du terrain ; ses élévations
> servirent de plate-forme à ses canons pour battre la redoute, et d'abri à son
> infanterie pour la disposer en colonnes d'attaque. Le 61ᵉ marcha le premier,
> la redoute fut enlevée d'un seul élan et à la baïonnette ; mais Bagration envoya
> des renforts qui la reprirent. Trois fois le 61ᵉ l'arracha aux Russes, et trois
> fois il en fut rechassé ; mais enfin il s'y maintint, tout sanglant et à demi détruit.
> Le lendemain, quand l'Empereur passa ce régiment en revue, il demanda
> où était son troisième bataillon : « Il est dans la redoute », repartit le colonel.

Le général baron Gourgaud, qui écrivit sous la dictée de Napoléon deux des huit volumes des *Mémoires pour servir à l'histoire de
France sous Napoléon,* et le baron Fain (dont les *Mémoires* racontent
avec beaucoup de précision la fin du règne de Napoléon) ont pu
aussi fournir à Mérimée des renseignements pour son récit.

L. Pinvert a étudié toutes les données réelles de l'histoire de la
prise de la redoute de Schwardino dans *Mérimée et le combat de
Schwardino* (Paris, Picard, 1914) et dans la *Revue des études historiques* de mai-juin 1914. Il confirme que Mérimée a rapetissé l'évé-

nement. Néanmoins, la popularité justifiée de cette nouvelle n'est pas tant due à son exactitude historique qu'à l'art du récit dont y fait preuve son auteur.

# L'ART DE MÉRIMÉE
# DANS « L'ENLÈVEMENT DE LA REDOUTE »

## LE DÉCOR ET LA COULEUR

Les descriptions sont très rares et très sobres. A peu près rien n'indique que l'action se passe en Russie, à part le nom de *Cheverino*. La description de la lune se levant derrière la redoute vaut surtout par la couleur tragique qu'elle donne à cette veille de combat, par sa valeur de présage. Les seuls détails topographiques que nous donne l'auteur sont là seulement pour leur intérêt militaire : des hauteurs protègent le rassemblement des troupes françaises. Même les descriptions, si saisissantes, de la redoute telle qu'elle se montre au regard des assaillants avant l'attaque, ou telle que le narrateur la voit après la victoire, ont une valeur avant tout psychologique et dramatique.

Cette absence totale de « couleur locale », cette extrême sobriété dans les descriptions s'expliquent sans peine si l'on considère, comme l'auteur nous invite à le faire, que la guerre est la même partout, et que le narrateur, jeune militaire qui va voir le feu pour la première fois, n'a guère le loisir de s'abîmer dans la contemplation du paysage. Ces deux raisons se rejoignent et montrent que Mérimée a été dans cette nouvelle encore soucieux avant tout de vérité générale et humaine, de vraisemblance psychologique.

## LES PERSONNAGES

Le narrateur nous présente d'abord le **capitaine**. Les détails sont assez peu nombreux, mais très évocateurs : la blessure, la voix étrange, une *physionomie dure et repoussante* (ligne 13), un langage bref, voire allusif, et brutal. Les sentiments : mépris pour le « nouveau » sorti « des écoles » (lui est « sorti du rang »), superstitions militaires (*non bis in idem*, noms commençant par un P.). On peut y voir un bel exemple de soldat de la Grande Armée (c'est à Iéna qu'il a été blessé), dont la rudesse cache mal les émotions. Ses dernières paroles : « Voilà la danse qui va commencer. [...] Bonsoir! », semblent révélatrices du personnage qu'a voulu créer Mérimée.

Le **colonel** est du même type; c'est à lui qu'appartient le mot de la fin : « F..., mon cher, mais la redoute est prise! » Il est brusque, lui aussi, mais plus sensible que le capitaine à une lettre de recommandation. Il est assez affable pour le jeune lieutenant. Il est brave, et monte le premier à l'assaut, *son chapeau au bout de son épée* (ligne 172). En somme, c'est un peu une réplique du capitaine, avec davantage de raffinement.

A côté de ses deux supérieurs, le lieutenant a affaire à des **sous-officiers** et à des **soldats**. Un « vieux soldat » interprète comme un présage funeste la couleur rouge de la lune. Un aide de camp apporte un ordre. Un sergent, à la fin, répond de façon désabusée aux questions du colonel. Ce sont les seuls personnages qui émergent. Ici encore, nous sommes frappés par cette sobriété. Mais remarquons combien elle ajoute à la vraisemblance du récit, puisque, dans de telles circonstances, en vingt-quatre heures à peine, il est peu probable qu'un jeune homme ait le temps de remarquer assez nettement davantage de gens, morts peu après du reste, pour s'en souvenir de longues années plus tard.

Le personnage essentiel est donc celui qui raconte le fait d'armes, **le narrateur** qui nous fait voir la bataille. Comme Fabrice à Waterloo, dans *la Chartreuse de Parme* de Stendhal, le témoin est sans expérience des combats, et il est fort jeune. Bien qu'il participe à l'action, il n'en a pas nettement conscience, et il se sent entraîné dans un mouvement général où il n'a qu'une importance dérisoire. Il est tout étonné de se trouver brave, a conscience de jouer un rôle (après la chute de son schako, au milieu des balles). Cependant, avec quelle force contenue il nous a fait partager ses inquiétudes à la veille de l'assaut, ses superstitions et presque jusqu'à ses insomnies! De même, dans le récit du combat, le narrateur nous décrit ce qu'il sent en même temps que ce qu'il voit. Ses sentiments sont traduits par des notations concrètes : il passe sa main sur sa moustache pour avoir l'air intrépide sous le regard de son capitaine (ligne 77), il *souri[t] d'un air tout à fait martial en brossant la manche de [s]on habit* (ligne 90) sur lequel un boulet a fait tomber de la terre. Il plaisante. Plus tard, il frissonnera. Chose étrange, ces sentiments qu'il a éprouvés, il nous les fait éprouver souvent comme de l'extérieur. En tout cas, il est jeune, brave malgré ses craintes, assez susceptible, spirituel, sympathique en somme aussi bien par ses petites faiblesses que par sa bravoure.

Ainsi, la nouvelle nous décrit, plus que les faits, les âmes. Depuis longtemps on a vu là la trace de l'influence de Stendhal sur son ami Mérimée, et cette influence se marque autant dans la façon dont le drame intérieur est peint (par les notations concrètes et les propos des personnages) que dans ce souci de lucidité du héros entraîné dans des événements qui le dépassent.

## LE STYLE

Comme les autres éléments artistiques, malgré l'apparente simplicité, le style est très travaillé. La preuve en est fournie par les nombreuses corrections que l'auteur a fait subir à son texte au cours des rééditions successives. Nous en relèverons essentiellement huit, en plaçant dans la colonne de gauche le texte de 1829 et dans la colonne de droite la leçon des éditions ultérieures :

| | |
|---|---|
| Lignes 15-16 : Sa voix [...] contrastait singulièrement avec *les proportions presque gigantesques de sa personne.* | 1842. *Avec sa stature presque gigantesque.* |
| Ligne 82 : Je courais *un grand danger.* | 1842. *Un danger réel.* |
| Ligne 84 : *Je pensai* au plaisir de raconter. | 1850. *Je songeai.* |
| Ligne 113 : Ajouta-t-il d'un ton plus bas et *plus honteux.* | 1842. *D'un ton plus bas et presque honteux.* |
| Ligne 137 : *Et ils restèrent* silencieux. | 1842. *Puis demeurèrent* silencieux. |
| Ligne 157 : *Boutefeu.* | 1833. *Lance à feu.* |
| Ligne 181 : Les canons surtout *étaient encombrés par des tas de cadavres.* | 1833. *Étaient encombrés sous des tas de cadavres.* — 1842. *Étaient enterrés sous des tas de cadavres.* |
| Lignes 197-198 : Le général C*** va *nous* faire soutenir. | 1842. Va *vous* faire soutenir. |

## L'INFLUENCE DE « L'ENLÈVEMENT DE LA REDOUTE »

Le récit est vite devenu célèbre, et l'influence en a été importante, dans la mesure où l'on peut penser qu'il est à l'origine d'une façon nouvelle de raconter les combats. Le rapprochement s'impose en particulier avec le récit de la bataille de Waterloo dans *la Chartreuse de Parme* de Stendhal (chap. III). Dans les deux œuvres, la bataille est vue « à travers le cœur » d'un témoin, qui n'est même pas particulièrement privilégié. On s'accorde généralement à penser que c'est l'aîné des deux amis, Stendhal, qui donna à l'autre l'idée de traiter de cette façon nouvelle un récit de bataille, avant de la reprendre lui-même, de façon plus développée, en 1839, dans son roman. Un procédé analogue sera employé par Victor Hugo dans « le Cimetière d'Eylau » (*la Légende des siècles*, XLIX). Mais les personnages d'Hugo ont plus de jovialité et de bonne humeur que ceux de Mérimée, comme le remarque A. Thibaudet, dans son *Histoire de la littérature française de 1789 à nos jours*, p. 213 : « L'exilé de Guernesey a joué au courtisan de Compiègne le mauvais tour de refaire *l'Enlèvement de la redoute* dans « le Cimetière d'Eylau ». Il l'a écrasé sous la charge des quatre-vingts escadrons. Que voulez-vous que nous y fassions ? Il y a la prose, mais il y a aussi la poésie. » Tolstoï aussi, dans *les Scènes de Sébastopol*, utilisera le même procédé de narration que Mérimée et Stendhal. Mais que dire des innombrables témoignages ou œuvres romanesques qui ont suivi les deux guerres mondiales, voire les conflits d'Indochine et d'Algérie ? Le récit d'un combat vu à travers un combattant n'a rien d'original pour un lecteur moderne. L'originalité véritable est ailleurs : elle est dans le style exemplaire de Mérimée.

# L'ENLÈVEMENT DE LA REDOUTE[1]

Un militaire de mes amis[2], qui est mort de la fièvre en Grèce, il y a quelques années[3], me conta un jour la première affaire à laquelle il avait assisté. Son récit me frappa tellement, que je l'écrivis de mémoire aussitôt que j'en eus le loisir. Le voici : (1)
5 — Je rejoignis le régiment le 4 septembre[4] au soir. Je trouvai le colonel au bivac[5]. Il me reçut d'abord assez brusquement; mais, après avoir lu la lettre de recommandation du général B***, il changea de manières, et m'adressa quelques paroles obligeantes.

10 Je fus présenté par lui à mon capitaine, qui revenait à l'instant même d'une reconnaissance. Ce capitaine, que je n'eus guère le temps de connaître, était un grand homme brun, d'une physionomie dure et repoussante. Il avait été simple soldat, et avait gagné ses épaulettes et sa croix sur les champs
15 de bataille. Sa voix, qui était enrouée et faible, contrastait singulièrement avec sa stature presque gigantesque. On me dit qu'il devait cette voix étrange à une balle qui l'avait percé de part en part à la bataille d'Iéna[6].

En apprenant que je sortais de l'école de Fontainebleau[7],
20 il fit la grimace et dit :

« Mon lieutenant est mort hier... »

---

1. *Redoute* : ouvrage de fortification détaché, complètement fermé, sans angles rentrants; 2. On ne sait si Mérimée dit vrai. (Voir la Notice, « les Sources », pages 37-38); 3. L'expédition de Morée est de 1828 : il s'agit donc plutôt ici du corps de volontaires envoyé en Grèce en 1822-1823 sous les ordres du colonel Favier; 4. La bataille de la Moskova, que prépara l'enlèvement de la redoute, est du 7 septembre 1812. La prise de la redoute est du 5. (Voir la Notice, « les Sources », page 38); 5. *Bivac* : autre forme du mot *bivouac*, moins usitée aujourd'hui; 6. *Bataille d'Iéna* : victoire de Napoléon sur les Prussiens (14 octobre 1806); 7. L'*école de Fontainebleau* avait été créée par Bonaparte en 1802 pour former des officiers d'infanterie; elle avait été transférée à Saint-Cyr dès 1808.

---

**QUESTIONS**

1. Quel effet l'auteur recherche-t-il dans le premier paragraphe? — Montrez qu'il justifie également que le récit soit fait à la première personne : quel est l'intérêt du procédé?

Je compris qu'il voulait dire : « C'est vous qui devez le
remplacer, et vous n'en êtes pas capable. » Un mot piquant
me vint sur les lèvres, mais je me contins. (2)

25 La lune se leva derrière la redoute de Cheverino[1], située
à deux portées de canon[2] de notre bivac. Elle était large et
rouge comme cela est ordinaire à son lever. Mais, ce soir-là,
elle me parut d'une grandeur extraordinaire. Pendant un
instant, la redoute se détacha en noir sur le disque éclatant
30 de la lune. Elle ressemblait au cône d'un volcan au moment
de l'éruption.

Un vieux soldat, auprès duquel je me trouvais, remarqua
la couleur de la lune.

« Elle est bien rouge, dit-il; c'est signe qu'il en coûtera
35 bon[3] pour l'avoir, cette fameuse redoute! » (3)

J'ai toujours été superstitieux, et cet augure, dans ce moment
surtout, m'affecta. Je me couchai, mais je ne pus dormir. Je
me levai, et je marchai quelque temps, regardant l'immense
ligne de feux qui couvrait les hauteurs au-delà du village de
40 Cheverino.

Lorsque je crus que l'air frais et piquant de la nuit avait
assez rafraîchi mon sang, je revins auprès du feu; je m'enve-
loppai soigneusement dans mon manteau, et je fermai les yeux,
espérant ne pas les ouvrir avant le jour. Mais le sommeil me
45 tint rigueur. Insensiblement mes pensées prenaient une teinte
lugubre. Je me disais que je n'avais pas un ami parmi les
cent mille hommes qui couvraient cette plaine. Si j'étais blessé, je
serais dans un hôpital, traité sans égards par des chirurgiens igno-
rants. Ce que j'avais entendu dire des opérations chirurgicales

---

1. *Cheverino* : déformation du russe *Chvardino* ou *Schwardino* (voir Notice,
page 38); 2. Une *portée de canon* des armées napoléoniennes (modèle de 1765) est
de 1 500 m au plus; 3. Il en coûtera cher (locution populaire vieillie).

---

### QUESTIONS

**2.** Les deux figures de militaires évoquées ici : qu'y a-t-il de comparable dans l'accueil qu'ils réservent l'un et l'autre au jeune officier? —
Comment l'auteur a-t-il choisi et présenté les éléments du portrait du
capitaine?

**3.** Le décor est-il présenté avec beaucoup de détails? Quels sont ceux
que retient l'auteur? — Pourquoi n'y a-t-il guère que le nom du village
de Cheverino qui soit russe dans le récit? Quel effet produit cette absence
de couleur locale? — Quelle importance pour la suite du récit faut-il
accorder à l'expression *cette fameuse redoute!* (ligne 35)?

50 me revint à la mémoire. Mon cœur battait avec violence,
et machinalement je disposais comme une espèce de cuirasse,
le mouchoir et le portefeuille que j'avais sur la poitrine. La
fatigue m'accablait, je m'assoupissais à chaque instant, et à
chaque instant quelque pensée sinistre se reproduisait avec
55 plus de force et me réveillait en sursaut. (4)

Cependant la fatigue l'avait emporté, et, quand on battit
la diane[1], j'étais tout à fait endormi. Nous nous mîmes en
bataille, on fit l'appel, puis on remit les armes en faisceaux, et
tout annonçait que nous allions passer une journée tranquille.
60 Vers trois heures, un aide de camp arriva, apportant un
ordre. On nous fit reprendre les armes; nos tirailleurs se répan-
dirent dans la plaine, nous les suivîmes lentement, et, au bout
de vingt minutes, nous vîmes tous les avant-postes des Russes
se replier et rentrer dans la redoute.
65 Une batterie d'artillerie vint s'établir à notre droite, une
autre à notre gauche, mais toutes les deux bien en avant de
nous. Elles commencèrent un feu très vif sur l'ennemi, qui
risposta énergiquement, et bientôt la redoute de Cheverino
disparut sous des nuages épais de fumée.
70 Notre régiment était presque à couvert du feu des Russes
par un pli de terrain. Leurs boulets, rares d'ailleurs pour
nous (car ils tiraient de préférence sur nos canonniers), passaient
au-dessus de nos têtes, ou tout au plus nous envoyaient de la
terre et de petites pierres. (5)
75 Aussitôt que l'ordre de marcher en avant nous eut été donné,
mon capitaine me regarda avec une attention qui m'obligea

---

1. *La diane :* batterie de tambour ou sonnerie de clairon, de trompette, pour réveiller les soldats.

--- **QUESTIONS** ---

4. L'analyse psychologique de la peur : quelle cause permanente, quels
motifs récents expliquent la naissance de ce sentiment de crainte? — Les
manifestations de la peur : montrez les éléments psychologiques qui y
contribuent; dégagez l'importance accordée au comportement extérieur.
La valeur et le ton de cette analyse : à quoi reconnaît-on que le narrateur
n'est pas un « intellectuel »? En quoi consiste l'objectivité et la sincérité
du personnage avec lui-même?

5. Qu'est-ce qui révèle l'imminence d'une grave affaire? Et cependant,
comment les différents détails sont-ils choisis et utilisés pour donner
quelque temps l'impression d'une *journée tranquille* (ligne 59)? — Y a-t-il
accord entre la gravité des événements qui se préparent et l'impassibilité
du narrateur? Comment le romancier réussit-il à donner une allure
« militaire » à son récit?

à passer deux ou trois fois la main sur ma jeune moustache
d'un air aussi dégagé qu'il me fut possible. Au reste, je n'avais
pas peur, et la seule crainte que j'éprouvasse, c'était que l'on
80 ne s'imaginât que j'avais peur. Ces boulets inoffensifs contri-
buèrent encore à me maintenir dans mon calme héroïque.
Mon amour propre me disait que je courais un danger réel,
puisque enfin j'étais sous le feu d'une batterie. J'étais enchanté
d'être si à mon aise, et je songeai au plaisir de raconter la prise
85 de la redoute de Cheverino, dans le salon de M^me de B***,
rue de Provence[1].

Le colonel passa devant notre compagnie; il m'adressa la
parole : « Eh bien! vous allez en voir de grises[2] pour votre
début. »

90 Je souris d'un air tout à fait martial en brossant la manche
de mon habit, sur laquelle un boulet, tombé à trente pas de
moi, avait envoyé un peu de poussière. (6)

Il paraît que les Russes s'aperçurent du mauvais succès[3] de
leurs boulets; car ils les remplacèrent par des obus qui pou-
95 vaient plus facilement nous atteindre dans le creux où nous
étions postés. Un assez gros éclat m'enleva mon schako[4] et
tua un homme auprès de moi.

« Je vous fais mon compliment, me dit le capitaine, comme
je venais de ramasser mon schako, vous en voilà quitte pour
100 la journée. »

Je connaissais cette superstition militaire qui croit que
l'axiome *non bis in idem*[5] trouve son application aussi bien

---

1. Mérimée fréquentait alors le très aristocratique salon de M^me de Boigne, qui
habitait 12, rue de Provence. Dans la première version *(Revue française)*, il y avait :
*le salon de M^me de Saint-Luxan* ; 2. *En voir de grises* : assister à des choses désagréables (locution familière); 3. *Succès* : résultat bon ou mauvais (sens classique);
4. *Schako* (ou *shako*) : coiffure militaire rigide, plus haute que le képi; 5. *Non bis in
idem* : [on ne peut] *pas deux fois* [être traduit en justice] *pour le même acte* (formule
latine de jurisprudence). Appliquée à la guerre, elle signifie que la mitraille ne saurait
atteindre deux fois le même homme dans une même bataille.

---

**QUESTIONS**

6. Quel changement se produit dans le contenu et dans le ton du récit
à partir du moment où l'action est engagée (ligne 75)? — Comparez
les réflexions du jeune officier à celles qu'il avait faites aux lignes 45-55 :
comment l'amour-propre intervient-il pour lui donner conscience de son
courage? Quelle assurance se donne-t-il à lui-même pour avoir la certitude
qu'il survivra au danger? — La lucidité du narrateur : par quels détails
laisse-t-il entendre que le courage qu'il affecte alors ne se justifie pas
plus que la peur qu'il éprouvait auparavant?

sur un champ de bataille que dans une cour de justice. Je remis fièrement mon schako.

105 « C'est faire saluer les gens sans cérémonie », dis-je aussi gaiement que je pus.

Cette mauvaise plaisanterie, vu la circonstance, parut excellente.

« Je vous félicite, reprit le capitaine, vous n'aurez rien de
110 plus, et vous commanderez une compagnie ce soir; car je sens bien que le four chauffe[1] pour moi. Toutes les fois que j'ai été blessé, l'officier auprès de moi a reçu quelque balle morte, et, ajouta-t-il d'un ton plus bas et presque honteux, leurs noms commençaient toujours par un P[2]. »

115 Je fis l'esprit fort[3]; bien des gens auraient fait comme moi; bien des gens auraient été aussi bien que moi frappés de ces paroles prophétiques. Conscrit comme je l'étais, je sentais que je ne pouvais confier mes sentiments à personne, et que je devais toujours paraître froidement intrépide. (7)

120 Au bout d'une demi-heure, le feu des Russes diminua sensiblement; alors nous sortîmes de notre couvert[4] pour marcher sur la redoute.

Notre régiment était composé de trois bataillons. Le deuxième fut chargé de tourner la redoute du côté de la gorge[5]; les deux
125 autres devaient donner l'assaut. J'étais dans le troisième bataillon.

En sortant de derrière l'espèce d'épaulement[6] qui nous avait protégés, nous fûmes reçus par plusieurs décharges de mous-

---

1. *Le four chauffe pour moi* : expression populaire signifiant « il se prépare pour moi quelque chose de désagréable »; 2. On a proposé un certain Pasquier, qui, effectivement, fit partie du 25e de ligne en 1812. (Voir la Notice, « les Sources », page 37); 3. *Esprit fort* : celui qui ne croit à rien et se flatte de n'avoir peur de rien; 4. *Couvert* : abri naturel, pli de terrain, qui dérobe à la vue de l'ennemi; 5. *Gorge* : terme de fortification qui désigne l'entrée, étroite et resserrée, de la redoute, du côté opposé à l'ennemi; 6. *Épaulement* : rempart de terre et de fascines derrière lequel s'abritent les troupes. Ici, il désigne le « pli de terrain » dont il a été question.

---

## QUESTIONS

7. Sur quel ton le jeune lieutenant parle-t-il de l'éclat d'obus qui lui a enlevé son schako? Vérifiez sur le dictionnaire la différence entre le boulet et l'obus : pourquoi ce dernier projectile est-il maintenant utilisé par l'ennemi? — Comment Mérimée peint-il les superstitions militaires? Pourquoi le capitaine confie-t-il son pressentiment sur un *ton bas et presque honteux* (ligne 113)? — Caractérisez le langage des personnages : traits généraux qui au milieu et aux circonstances, éléments propres à chaque héros. — En quoi consiste la lucidité du jeune officier dans les lignes 115-119?

queterie[1] qui ne firent que peu de mal dans nos rangs. Le
130 sifflement des balles me surprit : souvent je tournais la tête,
et je m'attirai ainsi quelques plaisanteries de la part de mes
camarades plus familiarisés avec ce bruit.

« A tout prendre, me dis-je, une bataille n'est pas une chose
si terrible. »

135 Nous avancions au pas de course, précédés de tirailleurs :
tout à coup les Russes poussèrent trois hourras[2], trois hourras
distincts, puis demeurèrent silencieux et sans tirer.

« Je n'aime pas ce silence, dit mon capitaine; cela ne nous
présage rien de bon. »

140 Je trouvai que nos gens étaient un peu trop bruyants, et
je ne pus m'empêcher de faire intérieurement la comparaison
de leurs clameurs tumultueuses avec le silence imposant de
l'ennemi. (8)

Nous parvînmes rapidement au pied de la redoute, les
145 palissades avaient été brisées et la terre bouleversée par nos
boulets. Les soldats s'élancèrent sur ces ruines nouvelles avec
des cris de *Vive l'Empereur!* plus forts qu'on ne l'aurait attendu
de gens qui avaient déjà tant crié.

Je levai les yeux, et jamais je n'oublierai le spectacle que
150 je vis. La plus grande partie de la fumée s'était élevée et restait
suspendue comme un dais à vingt pieds au-dessus de la redoute.
Au travers d'une vapeur bleuâtre, on apercevait derrière leur
parapet à demi détruit les grenadiers russes, l'arme haute[3],
immobiles comme des statues. Je crois voir encore chaque
155 soldat, l'œil gauche attaché sur nous, le droit caché par son
fusil élevé. Dans une embrasure, à quelques pieds de nous,
un homme tenant une lance à feu[4] était auprès d'un canon.

---

1. Tirs des fusils de l'infanterie; 2. Le *hourra!* était le cri de guerre réglementaire
des soldats russes avant l'attaque; 3. Le canon du fusil est en l'air, en attendant
l'ordre de tirer. Le fusil est abaissé au moment du feu. (Voir lignes 162-163 : « je
vis se baisser tous les fusils »); 4. *Lance à feu :* bâton portant à son extrémité une
mèche d'étoupe pour mettre le feu à la poudre des canons.

---

### QUESTIONS

**8.** Analysez l'effet produit par la précision et le dépouillement du
style dans les lignes 120-129; dans quel passage précédent avions-nous
déjà trouvé le même ton? — Quelle étape nouvelle dans l'apprentissage
du danger est marquée par *le sifflement des balles?* Pourquoi les réactions
du jeune officier prouvent-elles son inexpérience? — Que signifie le silence
des Russes après les *trois hourras* (ligne 136)? Les réactions du capitaine
et du narrateur ont beau concorder ici, sont-ce les mêmes motifs qui
créent leur inquiétude?

Je frissonnai, et je crus que ma dernière heure était venue. (9)
« Voilà la danse qui va commencer, s'écria mon capitaine.
160 Bonsoir ! »

Ce furent les dernières paroles que je l'entendis prononcer.
Un roulement de tambours retentit dans la redoute. Je vis
se baisser tous les fusils. Je fermai les yeux, et j'entendis un
fracas épouvantable, suivi de cris et de gémissements. J'ouvris
165 les yeux, surpris de me trouver encore au monde. La redoute
était de nouveau enveloppée de fumée. J'étais entouré de blessés
et de morts. Mon capitaine était étendu à mes pieds : sa tête
avait été broyée par un boulet, et j'étais couvert de sa cervelle
et de son sang. De toute ma compagnie, il ne restait debout
170 que six hommes et moi.

A ce carnage succéda un moment de stupeur. Le colonel,
mettant son chapeau au bout de son épée, gravit le premier
le parapet en criant : *Vive l'Empereur !* il fut suivi aussitôt
de tous les survivants. Je n'ai presque plus de souvenir net
175 de ce qui suivit. Nous entrâmes dans la redoute, je ne sais
comment. On se battit corps à corps au milieu d'une fumée
si épaisse, que l'on ne pouvait se voir. Je crois que je frappai,
car mon sabre se trouva tout sanglant. Enfin j'entendis crier :
« Victoire ! » et la fumée diminuant, j'aperçus du sang et des
180 morts sous lesquels disparaissait la terre de la redoute. Les
canons surtout étaient enterrés sous des tas de cadavres. Environ deux cents hommes debout, en uniforme français, étaient
groupés sans ordre, les uns chargeant leurs fusils, les autres
essuyant leurs baïonnettes. Onze prisonniers russes étaient
185 avec eux. (10)

Le colonel était renversé tout sanglant sur un caisson[1] brisé,

---

1. *Caisson* : voiture servant au transport des munitions d'artillerie.

---

### QUESTIONS

9. Comment se précise dans ce tableau l'effet de contraste entre l'agitation des assaillants et le silence des défenseurs de la redoute ? — Analysez la composition de ce tableau (lignes 149-157) : qu'est-ce qui lui confère
sa grandeur ? Quels détails le narrateur a-t-il retenus ? Les sentiments
personnels du narrateur : sous quelle forme s'exprime cette fois sa peur ?

10. Dans les lignes 162-185, relevez les détails qui vous semblent
particulièrement suggestifs. Comment Mérimée les met-il en valeur ?
De quelle manière tire-t-il parti du procédé de narration personnelle
d'un témoin encore sans expérience des combats ? — Quels détails
marquent particulièrement l'acharnement du combat ? — Les impressions dominantes qui se dégagent de ce récit.

près de la gorge. Quelques soldats s'empressaient autour de lui : je m'approchai.

« Où est le plus ancien capitaine? » demandait-il à un sergent.

190 Le sergent haussa les épaules d'une manière très expressive.

« Et le plus ancien lieutenant?

— Voici monsieur qui est arrivé d'hier », dit le sergent d'un ton tout à fait calme.

Le colonel sourit amèrement.

195 « Allons, monsieur, me dit-il, vous commanderez en chef; faites promptement fortifier la gorge de la redoute avec ces chariots, car l'ennemi est en force; mais le général C\*\*\*[1] va vous faire soutenir.

— Colonel[2], lui dis-je, vous êtes grièvement blessé?

200 — F...[3], mon cher, mais la redoute est prise! » **(11)**

---

1. Le général chargé de l'opération était le général Compans; 2. *Colonel*, au lieu de « *mon* colonel ». (Voir *Mateo Falcone*, page 25, note 1); 3. En fait, le colonel du 25e régiment d'infanterie ne fut ni tué ni blessé ce jour-là.

——————— QUESTIONS ———————

**11.** Quelle valeur dramatique ce dialogue sans commentaire donne-t-il à la conclusion du récit? — La discipline et l'esprit militaire d'après cette scène : n'a-t-on pas l'impression que le narrateur lui-même est désormais intégré à cet univers de la guerre qu'il vient d'aborder pour la première fois? — Dégagez l'importance de la dernière réplique : comment constitue-t-elle à tout point de vue un dénouement au récit?

SUR L'ENSEMBLE DE « L'ENLÈVEMENT DE LA REDOUTE ». — Étudiez la composition de cette nouvelle : montrez l'enchaînement du récit et les différentes étapes de l'action militaire qui aboutit à la prise de la redoute.

— Par quels états successifs passe le narrateur au cours du combat? Relevez les principaux traits de son caractère. Comment l'analyse psychologique s'intègre-t-elle au récit?

— Quel est finalement l'intérêt dominant de cette nouvelle? Est-ce l'art avec lequel Mérimée a raconté l'événement ou la curiosité que l'on porte aux sentiments de l'officier novice?

— La peinture de la vie militaire; étudiez les personnages secondaires : officiers, sous-officiers, soldats. Leur vraisemblance, leur relief, leur variété, leur utilité.

— Mérimée laisse-t-il percer à travers son personnage son propre sentiment sur la guerre, sur le courage et la peur? Comparez cette page au chapitre III de *Candide* de Voltaire, au récit de la bataille de Waterloo dans *la Chartreuse de Parme* de Stendhal, aux confidences du capitaine Renaud dans *Servitude et Grandeur militaires* de Vigny (III, VIII), au récit de la bataille d'Austerlitz dans *Guerre et Paix* de Tolstoï.

Prosper Mérimée.
Portrait de S. J. Rochard (1788-1872). — Louvre.

# TAMANGO
## 1829

## *NOTICE*

### PUBLICATION

Cette nouvelle parut pour la première fois dans la *Revue de Paris* du 4 octobre 1829. Elle fut ensuite placée dans *Mosaïque* et publiée avec les autres nouvelles de ce recueil. Mais un fait un peu particulier mérite d'être signalé : dans la revue *la France maritime*, parut en 1837 un récit intitulé *Une révolte sur un négrier*, qui reproduisait, avec des coupures et en attribuant des noms différents aux personnages, l'essentiel de la nouvelle. Il semble que Mérimée ait consenti à cette mutilation pour complaire à un ami.

### LES SOURCES DE « TAMANGO »

L'esclavage avait été condamné de façon théorique par les traités de 1815, à l'issue du congrès de Vienne. L'Angleterre avait été chargée de faire respecter l'interdiction de la traite. Cependant, celle-ci continuait clandestinement, et l'opinion publique n'était que très partiellement informée à son sujet. Une partie seulement de cette opinion, presque un siècle après les critiques de Montesquieu et de Voltaire, considérait les « négriers » comme des ennemis de l'humanité. Sous la Restauration, plusieurs sociétés militent contre la prolongation de cet état de fait. De nombreux écrivains peignent les Noirs de façon sympathique : Victor Hugo dans *Bug-Jargal*, en 1820, Mme de Duras dans *Ourika*, en 1824, par exemple. Rien d'étonnant donc déjà à ce que Mérimée, qui fréquente alors Victor Hugo et son Cénacle, ait publié dans les mêmes années une nouvelle sur ce thème en quelque sorte à la mode. Il y a plus cependant, et L. Vignols[1] a pu cerner de plus près les sources où notre auteur a puisé pour écrire *Tamango*. Mérimée, en effet, était alors ami d'Albert Stapfer. Or, le père de celui-ci, le pasteur Abel Stapfer, avait fondé en 1821, avec l'aide du baron de Staël, la « Société de morale chrétienne », qui luttait pour l'abolition effective de la traite des Noirs et cherchait à éclairer sur ce point l'opinion publique.

---

1. Léon Vignols, *les Sources de « Tamango »*, dans le *Mercure de France*, 15 décembre 1927.

Le salon du pasteur Stapfer, que fréquentait Mérimée, entendait à cette époque Miss Wright, jeune Américaine qui plaidait ardemment la cause des Noirs. Rappelons que l'autre dirigeant de la Société de morale chrétienne, le baron de Staël, avait mené à Nantes, en 1825, une enquête sur la traite des Noirs. A la même époque, Victor Schoelcher (on sait que c'est lui qui fit décider l'abolition de l'esclavage dans les colonies françaises en 1848), que connaissait Mérimée, préparait ses voyages d'études dans les colonies (il partit en 1929).

On voit que Mérimée pouvait avoir des renseignements assez précis sur le problème par toutes ces relations. Mais à ces « sources orales » s'ajoutent des documents imprimés. Tout d'abord, une brochure célèbre de l'Anglais Clarkson : *le Cri des Africains contre leurs oppresseurs, ou Coup d'œil sur le commerce homicide appelé « Traite des Noirs »*, édition française de la Société de morale chrétienne, accompagnée d'une grande planche pliée donnant les coupes, horizontale et verticale, du navire négrier le « Brookes », de Liverpool, construit pour le trafic des Noirs, fait pour contenir 450 nègres, mais en ayant souvent contenu jusqu'à 600.

Mérimée a utilisé aussi (la brochure de Clarkson lui en fournissait le titre dans sa Préface) la relation du voyage de l'explorateur anglais Mungo Park : *Travels in the Interior Districts of Africa*. Une traduction française de ce livre avait paru en 1800. Elle fournit en particulier à l'auteur de *Tamango* le nom de *Mama-Jumbo*, sa légende, et plusieurs renseignements sur les mœurs des peuplades de l'Afrique occidentale et centrale.

Le *Résumé des interrogatoires relatifs à la traite, qui ont eu lieu devant le comité général de la Chambre des communes en 1789 et 1790* a-t-il été utilisé par Mérimée? C'est possible, puisque ce livre lui était signalé aussi par Clarkson. En France même, en 1828-1829, venait de paraître un ouvrage sur la traite des Noirs. Il s'agit du *Précis historique de la traite des Noirs*, par Joseph Elzéar Morenas, ex-employé au Sénégal, qualifié d'agriculteur-botaniste. Ce livre ralluma les discussions à la veille de la publication de *Tamango*.

L'épisode même de la révolte des Noirs à bord du vaisseau lui a été suggéré, dit L. Vignols, par le *Traité des assurances*, publié par le jurisconsulte français Emerigon; dans l'édition de 1826-1827, en effet, cet ouvrage rapportait l'histoire du petit brigantin le *Comte-d'Estaing*. En 1774, les esclaves que ce navire transportait d'Afrique à la Martinique se révoltent, prennent les armes à feu des matelots et en blessent un certain nombre. Les membres valides de l'équipage se barricadent sur le pont. Pendant quatre jours le navire erre ainsi au gré du vent. Le cinquième jour, un petit vaisseau bordelais, la *Brunette*, recueille l'équipage, qui a réussi à attirer son attention. Restent au pouvoir des révoltés un petit mousse et un novice malade. Les mutins ne jouissent pas longtemps de leur liberté, car ils ne savent pas diriger le vaisseau, et ils sont inquiets de le voir errer ainsi. Il s'échoue enfin sur une île. Les Noirs s'y réfugient. Le *Comte-d'Estaing* est incendié par des Anglais qui se trouvaient là. Sept des esclaves fugitifs furent repris par les habitants anglais des îles voisines. Le chef de la révolte se noie volontairement, plutôt que de retomber en esclavage. On ne sait ce que devinrent les autres Noirs, le mousse et le novice.

Pierre Trahard[1] ajoute qu'il est possible que Mérimée, dans cette nouvelle maritime, se souvienne des romans de Fenimore Cooper. *Le Pilote* avait été traduit en 1823, *le Corsaire rouge* et *les Ecumeurs de la mer* en 1828.

Maurice Parturier, en publiant les *Lettres à Sophie Duvaucel*, puis la *Correspondance générale* de Mérimée, a fait connaître un cousin de l'écrivain, Jean Auguste Marc, alors lieutenant de vaisseau, et qui a pu le renseigner sur les choses de la mer. Henri Martineau[2] se demande, en outre, si Mérimée n'a pas pu connaître avant 1829 les lettres de son ami Jacquemont, qui s'élevait contre l' « horrible trafic » de la traite (lettre de 1828, après un passage à l'île Bourbon).

## LES CARACTÈRES DANS « TAMANGO »

On a souvent souligné la parenté entre Tamango et Mateo Falcone. Il s'agit bien, en effet, de personnages semblables. Mais il semble que Mérimée ait recherché encore plus ici que dans sa peinture des *Mœurs de la Corse* une certaine stylisation; sous prétexte de peindre des sentiments primitifs, il les ramène parfois un peu au niveau de l'instinct. Si le roi nègre est accoutré d'une façon grotesque, c'est pour montrer son désir de paraître un puissant personnage. Cet orgueil, à la fois naïf et profond, explique aussi son attitude après la révolte : c'est pour ne pas décevoir les espoirs mis en lui par ses compagnons qu'il prend un air important, avant de commettre la maladresse irréparable. Après la catastrophe, il se retire à l'écart comme un enfant boudeur dont on a mortifié l'amour-propre. Le personnage se caractérise aussi par son extrême cruauté : il tue froidement les esclaves dont Ledoux ne veut pas (naïf chantage : croit-il que le chef blanc va se laisser émouvoir ?). Il se défait plus tard de son ennemi en le mordant sauvagement à la gorge, et s'acharne ensuite sur le corps abattu. Il est totalement égoïste, et il s'est réservé de la nourriture pour lui seul, laissant autour de lui ses compagnons mourir de faim. Tamango peut encore sembler « barbare » par l'attachement presque animal qu'il éprouve pour Ayché.

Mais nous sentons ici combien notre jugement peut se trouver faussé par la simplification des caractères. Car Tamango est un

---

**1.** *La Jeunesse de Mérimée* (tome II, page 78); **2.** Préface de l'édition des *Romans et nouvelles* de Mérimée, Bibl. de la Pléiade (p. XVIII).

homme comme les autres hommes. L'aspect excessif de ses défauts
est contrebalancé par des qualités elles aussi excessives. Il a l'amour
de la liberté (pour lui, peut-être, plus que pour ses compagnons);
il a le sens de l'honneur, et semble incapable quelque temps de
comprendre le manque de loyauté de Ledoux; il a un sens très vif
de la justice, qui se confond avec le goût de la vengeance; mais
surtout, son amour pour Ayché le relève à nos yeux. De quel droit,
en effet, considérer comme « barbare » cet attachement si profond
qu'il va jusqu'à lui faire risquer pour elle sa liberté et sa vie, sans
réfléchir, si profond même qu'il se révèle plus fort que l'égoïsme,
puisque Tamango offre à sa femme, qui va mourir de faim, un
dernier morceau de biscuit? La simplicité et la grandeur du geste
nous invitent à considérer le personnage comme plus complexe
qu'il n'y paraît d'abord. Si Mérimée, pour peindre en lui l'âme
d'un primitif, grossit les traits et schématise un peu, il ne voit pas
du moins de différence de nature entre ce « primitif » et les autres
hommes.

De toute façon, le personnage du Blanc n'attire pas davantage
la sympathie : son absence totale de scrupules — que ne fait que
renforcer une certaine hypocrisie humanitaire —, son ingéniosité
diabolique pour tirer le maximum de profit de son horrible trafic,
son manque de tout sens moral, fût-ce, comme Tamango, celui de
l'honneur, tout cela montre que, chez Ledoux, la civilisation n'est
qu'un vernis et un moyen de mieux assouvir ses mauvais instincts.
La seule qualité de Ledoux est le courage : sur ce point aussi il ressemble à Tamango, sans lui être supérieur.

En somme, les deux personnages sont à la fois antithétiques et
semblables. Ils sont semblables par les instincts cruels, égoïstes,
jouisseurs, par le courage, par le caractère passionné. Mais Tamango
est plus sympathique dans la mesure où il est plus près de la nature,
où il garde le sentiment de l'honneur, et où un amour véritable
rachète ses défauts. Ledoux est plus odieux dans la mesure où il
est plus responsable et plus hypocrite. Les deux personnages, grâce
à ce procédé de simplification, ont donc une valeur symbolique et
résument en eux l'opposition entre deux civilisations que Mérimée
a voulu montrer dans sa nouvelle.

Les personnages secondaires ne font que renforcer l'impression
produite par les protagonistes. Ayché, image de la fidélité et de
l'obéissance (même quand son mari la donne au chef blanc), avec
ses superstitions et son muet dévouement, est, plus que la cause
du drame, comme elle le dit à la fin à Tamango, la digne compagne
de ce dernier et comme son pendant dans le sexe opposé. Elle attire
la sympathie sans réticences.

L'interprète est, dit Mérimée, un « homme humain », cherchant
à comprendre les Noirs et à adoucir leur sort. Sa mort montre
cependant qu'il était « objectivement » complice des négriers et
qu'il devait partager leur sort.

# LES IDÉES DE MÉRIMÉE DANS « TAMANGO »

D'une façon générale, les idées de Mérimée sont difficiles à pénétrer dans ses nouvelles. Dans *Tamango*, plus particulièrement, il
semble qu'elles se dissimulent sous cette ironie cruelle qui n'épargne
aucune croyance, et bien peu de personnages.

Il est indubitable que Mérimée condamne l'*esclavage* et la *traite*.
Le capitaine Ledoux est, à bien des égards, le type du négrier, et
si pour en faire le portrait l'auteur a choisi surtout des détails qui
le peignent sous un jour défavorable, ces détails proviennent essentiellement de documents rassemblés par les adversaires de la traite.
Si Mérimée affecte un air détaché pour décrire les aménagements
du navire négrier, l'accumulation des précisions horribles, leur
caractère technique même soulèvent la réprobation du lecteur.

Cependant, on peut se demander si l'auteur condamne ainsi
tout l'esclavage ou seulement ses excès : il se trouvait en 1829 des
gens pour vouloir la suppression effective de la traite sans juger
aussi urgente la suppression de l'esclavage lui-même. Des consi-
dérations économiques, l'opportunisme et, sans nul doute, des pré-
jugés raciaux expliquent que, dans les colonies françaises par
exemple, l'esclavage n'a été aboli qu'en 1848, vingt ans après la
disparition de la traite. Quelle était la position de Mérimée? Il faut
observer que Tamango, *marchand d'esclaves*, est tout le contraire
d'un libérateur : pourquoi lutterait-il pour la liberté de gens qu'il
a vendus sans aucun scrupule et qu'il abat d'un coup de fusil sous
le moindre prétexte? Ce que désire Tamango, c'est d'abord sa vengeance; c'est aussi sa femme; c'est, sans doute, sa propre liberté.
Mais celle de ses compagnons n'a pour lui d'intérêt que de lui fournir des auxiliaires. Les esclaves redoutent l'inconnu, ils suivent
Tamango dans l'espoir de ne pas aller en Amérique (il est exact
que les esclaves africains qu'on emmenait en Amérique étaient
convaincus que c'était pour les faire périr, et c'est pourquoi les
révoltes étaient fréquentes sur les navires négriers) et de revoir
leur patrie. Ils ne luttent pas pour recouvrer leur liberté. Pour eux,
l'esclavage est manifestement un fait naturel, un état qui est attribué à la naissance. Tamango, né libre, sait ce qu'est la liberté;
eux, non. Bien qu'il ait fait miroiter à leurs yeux, pour se les atta-
cher, le mot de liberté, il s'adresse à eux, après la révolte, en commençant son discours par le mot *Esclaves* (ligne 679). Eux-mêmes
continuent à se comporter comme tels. *La réputation de l'orateur,
l'habitude qu'avaient les esclaves de le craindre et de lui obéir, vinrent
merveilleusement au secours de son éloquence* (lignes 435-438). Celui-ci
veut-il dire, ou du moins pense-t-il, que l'esclavage est naturel aux
Noirs? Ce qui pourrait encore le faire penser, c'est l'« abrutisse-
ment » dans lequel il peint ceux-ci, la naïveté de leurs croyances,
la grossièreté de leurs divertissements, ou des phrases comme :
*Il était alors curieux de voir toutes ces figures noires se tourner vers*

*le musicien* (un matelot qui joue du violon), *perdre par degrés leur expression de désespoir stupide, rire d'un gros rire et battre des mains* (lignes 311-314).

A vrai dire, aucun de ces arguments n'est probant, au contraire. Tout au plus faut-il reconnaître que le nouvelliste ne semble pas soupçonner que ces Noirs puissent avoir une civilisation propre, intéressante à bien des égards et à des titres autres que le pittoresque. Mais qui, en Europe, en 1829, échappait à cette ignorance ? Mérimée sacrifie sans doute à un pittoresque facile avec l'anecdote de l'interprète (lignes 341-386) à propos de Mama-Jumbo (la déformation qu'il opère de *Mumbo-Jumbo* en *Mama-Jumbo* est caractéristique de cette facilité). Mais ne fait-il pas qu'user du procédé qui lui a si bien réussi avec *Mateo Falcone?*

Si Tamango paraît barbare, nous avons vu que c'était surtout dû au goût de Mérimée pour les caractères entiers, non affaiblis par la civilisation européenne, et pour les passions fortes et déchaînées. Ici encore, la comparaison avec les autres nouvelles montre que le cas n'est pas isolé. Les croyances des Noirs sont-elles, aux yeux du sceptique nouvelliste, plus risibles que celles des Européens ? Le dieu de Ledoux est une cible pour son ironie tout autant que Mama-Jumbo. Quant à la *stupidité* de ses esclaves, à la joie enfantine qu'ils éprouvent en entendant une musique grossière, on peut penser que c'est là une des observations qui donnent le plus à penser, et qui vont le plus loin dans la critique de l'esclavage. Car ce que montre la nouvelle, ce n'est point une quelconque infériorité de la race noire : c'est l'avilissement qu'apporte l'esclavage. Avilissement des marchands d'hommes, Tamango et Ledoux, autant que de leur *marchandise* : si pour les deux hommes la vie d'un esclave ne compte pas, c'est que l'esclavage déshumanise aussi bien les bourreaux que les victimes. Ni les uns ni les autres ne peuvent concevoir une vie autre que celle qu'ils vivent. Après la révolte, une fois les Blancs tués, chacun reprend la place à laquelle la société l'a fait : Tamango redevient le maître, les autres Noirs redeviennent ses esclaves, de même qu'Ayché redevient sa femme (et sa chose, son esclave aussi). Le dénouement pourrait être interprété comme une satire de l'hypocrisie des colons anglais, qui feignent de donner la liberté à Tamango pour se donner bonne conscience, surtout par rapport aux Français peut-être, mais ne font de lui qu'un esclave payé et nourri. Plus généralement, ne faut-il pas voir là une manifestation du scepticisme de Mérimée et de son pessimisme foncier ? Les hommes sont tous les mêmes, semble-t-il dire, et les meilleures intentions n'y peuvent rien changer.

Ajoutons que ce pessimisme est surtout fait de fatalisme; le destin des hommes est tracé à l'avance : l'*Espérance* part un vendredi, ses mâts sont fragiles, les esclaves se révoltent beaucoup trop tard et trop loin de l'Afrique, ils ne conquièrent leur liberté que pour la reperdre aussitôt et pour mourir. Dès le départ, toute l'entreprise était vouée à l'échec. On peut dire finalement que, pour l'auteur de *Tamango*, la liberté n'existe pas.

N'est-il pas réconfortant, cependant, de penser que, dix-huit mois après la publication de la nouvelle, la loi du 15 janvier 1831 mettait fin à la traite des esclaves? (Voir Pierre Trahard, *la Jeunesse de Mérimée*, tome II, p. 78.)

## L'ART DE MÉRIMÉE DANS « TAMANGO »

Il y a une couleur exotique dans *Tamango* : une *case en paille* (ligne 83), un chef nègre *accompagné de ses deux femmes* et accoutré de façon pittoresque servent à planter le décor. Suit la description d'une file d'esclaves enchaînés à la manière africaine; la présence d'un *guiriot* et la vénération dont il est l'objet de la part d'Ayché, l'anecdote concernant Mama-Jumbo, avec ses termes étrangers, comme *folgar, balafos,* suffisent ensuite à l'auteur pour créer l'impression de dépaysement. L'abondance des termes techniques de marine contribue elle aussi à donner cette impression. Mais, comme dans *Mateo Falcone,* l'art de Mérimée consiste surtout à choisir ses touches de « couleur locale ». Elles sont, en fait, très peu nombreuses. Pas plus que dans *Mateo,* l'auteur ne s'attarde en descriptions; aucune notation ne permet d'imaginer les paysages africains. L'illusion suffit. Cette illusion est d'autant plus forte que les détails choisis sont là pour peindre les hommes et leurs mœurs plus que pour peindre des palmiers ou des baobabs. Sobriété, discrétion, classicisme en somme : telle est l'impression que donne l'étude des descriptions dans cette œuvre.

Ces aspects de *Tamango* ne font que renforcer le caractère essentiel de la nouvelle : son intensité dramatique. Un décor simple, suffisamment étrange, mais pas encombrant, des caractères extrêmement vigoureux se détachant sur une foule de comparses avilis par l'esclavage et un équipage complice, tout tend vers l'action. Celle-ci se caractérise par une alternance de préparations psychologiques et d'épisodes horribles, liés par une savante gradation : vente des esclaves, ivresse du chef noir, assassinat de l'esclave à côté de ses enfants, supplications de Tamango, lutte farouche aboutissant à sa capture; puis la révolte, le massacre de l'équipage, le bris des mâts, le naufrage de la chaloupe, la lente agonie des rares survivants. Mais jamais Mérimée ne force la note. Il sait se mesurer. Il sait même se taire : *Pourquoi fatiguerais-je le lecteur par la description dégoûtante des tortures de la faim?* (lignes 723-724) est une phrase d'un effet que rien ne saurait surpasser.

On lira dans les Jugements, à la fin du volume, l'éloge de Gustave Planche, qui, en 1832, comparait *Tamango* à une épopée. C'était rendre justice à cette œuvre puissante et, somme toute, généreuse.

Phot. Larousse.

« Des courtiers
du pays vinrent
aussitôt à bord. »
(Lignes 75-76.)

Un courtier
d'esclaves, d'après
*Voyage à la côte
occidentale d'Afrique*
de Degrandpré.
(Paris, 1803.)

# TAMANGO

Le capitaine Ledoux[1] était un bon marin. Il avait commencé
par être simple matelot, puis il devint aide-timonier[2]. Au
combat de Trafalgar[3], il eut la main gauche fracassée par un
éclat de bois; il fut amputé, et congédié ensuite avec de bons
5 certificats. Le repos ne lui convenait guère, et, l'occasion de
se rembarquer se présentant, il servit, en qualité de second
lieutenant, à bord d'un corsaire[4]. L'argent qu'il retira de
quelques prises[5] lui permit d'acheter des livres et d'étudier
la théorie de la navigation, dont il connaissait déjà parfaitement
10 la pratique. Avec le temps, il devint capitaine d'un lougre[6]
corsaire de trois canons et de soixante hommes d'équipage, et
les caboteurs de Jersey[7] conservent encore le souvenir de ses
exploits. La paix[8] le désola : il avait amassé pendant la guerre
une petite fortune, qu'il espérait augmenter aux dépens des
15 Anglais. Force lui fut d'offrir ses services à de pacifiques
négociants; et, comme il était connu pour un homme de résolution et d'expérience, on lui confia facilement un navire.
Quand la traite des nègres fut défendue, et que, pour s'y livrer,
il fallut non seulement tromper la vigilance des douaniers
20 français, ce qui n'était pas très difficile, mais encore, et c'était
le plus hasardeux, échapper aux croiseurs anglais[9], le capitaine

1. *Ledoux* : M. Parturier (dans son édition des *Morceaux choisis* de Mérimée,
publiée en collaboration avec J. Mallion, Paris, 1952) note qu'aucun des rôles des
équipages de navires armés à Nantes à cette époque ne porte ce nom; 2. *Aide-timonier* :
marin qui seconde celui qui tient la barre; 3. *A Trafalgar* (c'est-à-dire au large du
cap qui porte ce nom, au nord-ouest de Gibraltar); le 21 octobre 1805, l'amiral
anglais Nelson y battit les flottes française et espagnole; 5. *Corsaire* : bâtiment
armé en guerre et appartenant à un particulier (de façon régulière et reconnue officiellement); 5. *Prises* : navires capturés; 6. *Lougre* : petit navire de guerre à trois
mâts, de formes fines à l'arrière et renflé à l'avant; 7. *Jersey* : une des îles anglo-
normandes. Les caboteurs (navires qui font la navigation le long des côtes) anglais
étaient alors une proie facile pour les corsaires; 8. La *paix* avec l'Angleterre en
1814, lors de la chute de Napoléon Ier; 9. Les *croiseurs anglais* étaient chargés depuis
le congrès de Vienne (1815) de faire la chasse aux négriers.

Ledoux devint un homme précieux pour les trafiquants de bois d'ébène[1]. **(1)**

25 Bien différent de la plupart des marins qui ont langui longtemps comme lui dans les postes subalternes, il n'avait point cette horreur profonde des innovations, et cet esprit de routine qu'ils apportent trop souvent dans les grades supérieurs. Le capitaine Ledoux, au contraire, avait été le premier à recommander à son armateur l'usage des caisses en fer, des-
30 tinées à contenir et conserver l'eau. A son bord, les menottes et les chaînes, dont les bâtiments négriers ont provision, étaient fabriquées d'après un système nouveau, et soigneusement vernies pour les préserver de la rouille. Mais ce qui lui fit le plus d'honneur parmi les marchands d'esclaves, ce fut la
35 construction, qu'il dirigea lui-même, d'un brick[2] destiné à la traite, fin voilier, étroit, long comme un bâtiment de guerre, et cependant capable de contenir un très grand nombre de Noirs. Il le nomma l'*Espérance*[3]. Il voulut que les entreponts, étroits et rentrés, n'eussent que trois pieds quatre pouces[4] de
40 haut, prétendant que cette dimension permettait aux esclaves de taille raisonnable d'être commodément assis; et quel besoin ont-ils de se lever?

« Arrivés aux colonies, disait Ledoux, ils ne resteront que trop sur leurs pieds! » **(2)**

---

1. « Nom que se donnent eux-mêmes les gens qui font la traite » (note de Mérimée). *Bois d'ébène* désignait, par euphémisme, la cargaison d'esclaves noirs; 2. *Brick :* bâtiment à deux mâts dont le plus grand était incliné vers l'arrière (anglais : *the brig*); 3. Ici encore, on ne relève pas de navire de ce nom parmi les négriers de Nantes à cette époque. Voir page 59, note 1 ; 4. Le *pouce* (1/12 de pied) valait 0,027 m. Le pied mesurait 0,3248 m. Trois pieds quatre pouces équivalent donc à 1,08 m.

---

### ——— QUESTIONS ———

**1.** La carrière du capitaine Ledoux permet-elle de mettre en lumière son caractère? — Quels sont ses défauts? Étudiez notamment comment se manifeste son absence de scrupules. — A-t-il des qualités? Lesquelles? — Dans quelle mesure les circonstances historiques ont-elles favorisé la carrière du capitaine Ledoux? — Appréciez la technique et la valeur de ce portrait qui s'intègre à l'histoire même du personnage. Par quels détails l'auteur guide-t-il notre jugement sur Ledoux? Où réside l'ironie?

**2.** Les innovations du capitaine Ledoux sont-elles mauvaises en elles-mêmes? Voit-on tout de suite à quelle fin sont destinées les modifications apportées aux usages traditionnels? Quel effet de progression est ménagé jusqu'à la réplique du capitaine Ledoux (lignes 28-44)? — Essayez de définir le genre d'humour qui se manifeste ici. Commentez notamment le nom donné au brick par son capitaine. Quelle valeur prend maintenant le nom, pourtant banal, attribué par Mérimée à son personnage?

45    Les Noirs, le dos appuyé aux bordages du navire, et disposés sur deux lignes parallèles, laissaient entre leurs pieds un
espace vide, qui, dans tous les autres négriers, ne sert qu'à la
circulation. Ledoux imagina de placer dans cet intervalle
d'autres nègres, couchés perpendiculairement aux premiers. De
50 la sorte, son navire contenait une dizaine de nègres de plus
qu'un autre du même tonnage[1]. A la rigueur, on aurait pu
en placer davantage; mais il faut avoir de l'humanité, et laisser
à un nègre au moins cinq pieds en longueur et deux en largeur
pour s'ébattre pendant une traversée de six semaines et plus :
55 « Car enfin, disait Ledoux à son armateur pour justifier cette
mesure libérale, les nègres, après tout, sont des hommes comme
les Blancs. » (3)

    L'*Espérance* partit de Nantes[2] un vendredi, comme le remar-
quèrent depuis des gens superstitieux. Les inspecteurs qui
60 visitèrent scrupuleusement le brick ne découvrirent pas six
grandes caisses remplies de chaînes, de menottes, et de ces
fers que l'on nomme, je ne sais pourquoi, *barres de justice*.
Ils ne furent point étonnés non plus de l'énorme provision
d'eau que devait porter l'*Espérance*, qui, d'après ses papiers,
65 n'allait qu'au Sénégal pour y faire le commerce de bois et
d'ivoire. La traversée n'est pas longue, il est vrai, mais enfin
le trop de précautions ne peut nuire. Si l'on était surpris par
un calme, que deviendrait-on sans eau ?

    L'*Espérance* partit donc un vendredi, bien gréée et bien
70 équipée de tout. Ledoux aurait voulu peut-être des mâts un
peu plus solides; cependant, tant qu'il commanda le bâtiment, il n'eut point à s'en plaindre[3]. Sa traversée fut heureuse
et rapide jusqu'à la côte d'Afrique. Il mouilla dans la rivière
de Joale[4] (je crois) dans un moment où les croiseurs anglais

---

    **1.** Cette description du navire négrier s'inspire de la planche représentant le *Brookes*,
négrier anglais, et figurant dans la brochure de Clarkson : *le Cri des Africains contre
leurs oppresseurs*... (Voir L. Vignols, *les Sources de « Tamango »*, dans le *Mercure
de France*, 15 décembre 1927); **2.** *Nantes* était encore un centre négrier très actif;
**3.** Ce détail annonce la chute des deux mâts qui se produira à la fin du récit; **4.** *Joale*
(ou *Joal*) : petit port du Sénégal, au sud de Dakar.

---

━━ **QUESTIONS** ━━

    **3.** Montrez que ce paragraphe (lignes 45-57) complète la documenta-
tion sur les conditions du commerce d'esclaves, tout en accentuant encore
l'humour du développement précédent (lignes 24-44); relevez tous les
termes qui reflètent la « philanthropie » de Ledoux. — Commentez notamment la réflexion des lignes 55-57; quelle place occupe-t-elle dans le développement par rapport à la réflexion des lignes 43-44? Y a-t-il cynisme
ou inconscience chez le capitaine?

75 ne surveillaient point cette partie de la côte. Des courtiers du
pays vinrent aussitôt à bord. Le moment était on ne peut plus
favorable; Tamango, guerrier fameux et vendeur d'hommes,
venait de conduire à la côte une grande quantité d'esclaves;
et il s'en défaisait à bon marché, en homme qui se sent la force
80 et les moyens d'approvisionner promptement la place[1], aussitôt que les objets de son commerce y deviennent rares. **(4)**
    Le capitaine Ledoux se fit descendre sur le rivage, et fit
sa visite à Tamango. Il le trouva dans une case en paille qu'on
lui avait élevée à la hâte, accompagné de ses deux femmes
85 et de quelques sous-marchands[2] et conducteurs d'esclaves.
Tamango s'était paré pour recevoir le capitaine blanc. Il
était vêtu d'un vieil habit d'uniforme bleu, ayant encore les
galons de caporal; mais sur chaque épaule pendaient deux
épaulettes d'or attachées au même bouton, et ballottant, l'une
90 par devant, l'autre par derrière. Comme il n'avait pas de
chemise, et que l'habit était un peu court pour un homme de
sa taille, on remarquait entre les revers blancs de l'habit et
son caleçon de toile de Guinée[3] une bande considérable de
peau noire qui ressemblait à une large ceinture. Un grand
95 sabre de cavalerie était suspendu à son côté au moyen d'une
corde, et il tenait à la main un beau fusil à deux coups, de
fabrique anglaise. Ainsi équipé, le guerrier africain croyait
surpasser en élégance le petit-maître[4] le plus accompli de
Paris ou de Londres.
100     Le capitaine Ledoux le considéra quelque temps en silence,
tandis que Tamango, se redressant à la manière d'un grenadier
qui passe à la revue devant un général étranger, jouissait de
l'impression qu'il croyait produire sur le Blanc. Ledoux,

---

    **1.** *La place* : le marché (expression du vocabulaire commercial); **2.** Les *sous-marchands* sont les intermédiaires qui fournissent Tamango en esclaves; **3.** *Toile de Guinée* : étoffe de coton de mauvaise qualité (« coton de brousse »). La Guinée se trouve au sud du Sénégal; **4.** *Petit-maître* : jeune élégant dont les manières sont ridiculement prétentieuses.

---

■■■■■■ **QUESTIONS** ─────────────────────────

    **4.** Précisez le rythme sur lequel s'engage le récit. Quels détails concourent à donner l'impression que tout se déroule et se présente favorablement? N'y a-t-il pas cependant quelques faits qui laissent pré-voir un drame? — La scène de l'inspection (lignes 59-68) et celle de la prise de contact avec les courtiers (lignes 75-81) sont rapidement évo-quées : par quels procédés le narrateur les rend-il cependant vivantes? Comment l'ironie se mêle-t-elle au récit? Que penser de la vigilance des inspecteurs et de la sincérité des courtiers?

après l'avoir examiné en connaisseur, se tourna vers son second,
5 et lui dit :

« Voilà un gaillard que je vendrais au moins mille écus[1],
rendu sain et sans avaries à la Martinique. » (5)

On s'assit, et un matelot qui savait un peu la langue wolofe[2]
servit d'interprète. Les premiers compliments de politesse
0 échangés, un mousse apporta un panier de bouteilles d'eau-de-
vie; on but, et le capitaine, pour mettre Tamango en belle
humeur, lui fit présent d'une jolie poire à poudre en cuivre,
ornée du portrait de Napoléon en relief. Le présent accepté
avec la reconnaissance convenable, on sortit de la case, on
5 s'assit à l'ombre en face des bouteilles d'eau-de-vie, et Tamango
donna le signal de faire venir les esclaves qu'il avait à vendre.

Ils parurent sur une longue file, le corps courbé par la fatigue
et la frayeur, chacun ayant le cou pris dans une fourche longue
de plus de six pieds, dont les deux pointes étaient réunies vers
0 la nuque par une barre de bois[3]. Quand il faut se mettre en
marche, un des conducteurs prend sur son épaule le manche
de la fourche du premier esclave; celui-ci se charge de la fourche
de l'homme qui le suit immédiatement; le second porte la
fourche du troisième esclave, et ainsi des autres. S'agit-il de
5 faire halte, le chef de file enfonce en terre le bout pointu du
manche de sa fourche, et toute la colonne s'arrête. On juge
facilement qu'il ne faut pas penser à s'échapper à la course,
quand on porte attaché au cou un gros bâton de six pieds de
longueur.

0 A chaque esclave mâle ou femelle qui passait devant lui,
le capitaine haussait les épaules, trouvait les hommes chétifs,
les femmes trop vieilles ou trop jeunes et se plaignait de l'abâ-
tardissement de la race noire.

« Tout dégénère, disait-il; autrefois c'était bien différent.

---

1. L'*écu* est le nom d'une pièce de monnaie. Sous l'Ancien Régime, il y avait
un écu de trois livres et un de six livres. Au XIXe siècle, il désignait une pièce d'argent
de cinq francs; 2. Le *wolof*, ou ououlof, ou yolof, est la langue des Yolofs, la plus
importante des ethnies du Sénégal; 3. Cette description s'inspire de la relation de
l'explorateur anglais Mungo Park (*Travels in the Interior Districts of the Africa*,
traduction française de 1800).

——————— QUESTIONS ———————

5. Quels traits de caractère révèle l'accoutrement de Tamango? Comment l'auteur en fait-il ressortir les éléments grotesques? En quoi Tamango
se comporte-t-il maladroitement à l'égard de Ledoux (lignes 100-104)? —
Comment s'expliquent la réaction et la réflexion de Ledoux (lignes 106-
107)? Quelle situation se trouve ainsi créée entre les deux interlocuteurs?

135 Les femmes avaient cinq pieds six pouces de haut, et quatre
hommes auraient tourné seuls le cabestan[1] d'une frégate[2],
pour lever la maîtresse ancre. »

Cependant, tout en critiquant, il faisait un premier choix
des Noirs les plus robustes et les plus beaux. Ceux-là, il pou-
140 vait les payer au prix ordinaire; mais, pour le reste, il demandait une forte diminution. Tamango, de son côté, défendait
ses intérêts, vantait sa marchandise, parlait de la rareté des
hommes et des périls de la traite. Il conclut en demandant un
prix, je ne sais lequel, pour les esclaves que le capitaine blanc
145 voulait charger à son bord. **(6)**

Aussitôt que l'interprète eut traduit en français la proposition de Tamango, Ledoux manqua tomber à la renverse de
surprise et d'indignation; puis, murmurant quelques jurements[3]
affreux, il se leva comme pour rompre tout marché avec un
150 homme aussi déraisonnable. Alors Tamango le retint; il parvint avec peine à le faire rasseoir. Une nouvelle bouteille fut
débouchée, et la discussion recommença. Ce fut le tour du
Noir à trouver folles et extravagantes les propositions du
Blanc. On cria, on disputa longtemps, on but prodigieuse-
155 ment d'[4]eau-de-vie; mais l'eau-de-vie produisait un effet bien
différent sur les deux parties contractantes. Plus le Français
buvait, plus il réduisait ses offres; plus l'Africain buvait, plus
il cédait de ses prétentions. De la sorte, à la fin du panier,
on tomba d'accord. De mauvaises cotonnades, de la poudre,
160 des pierres à feu[5], trois barriques d'eau-de-vie, cinquante fusils
mal raccommodés furent donnés en échange de cent soixante
esclaves. Le capitaine, pour ratifier le traité, frappa dans la

---

1. *Cabestan* : treuil vertical à barres horizontales qui sert à rouler ou à dérouler
les câbles, à haler les fardeaux ou à lever l'ancre des bateaux; 2. *Frégate* : grand
bâtiment à trois mâts de la marine de guerre; 3. *Jurements* : mot vieilli pour
« jurons »; 4. *Prodigieusement de...* : tournure vieillie pour « une quantité prodigieuse
de... »; 5. Les *pierres à feu* (ou « pierres à fusil ») produisaient l'étincelle qui mettait
le feu à la charge des poudres de fusil.

---

### QUESTIONS

6. Les préliminaires du marchandage : sur quel rythme se déroule
maintenant le récit? Comment chaque détail confirme-t-il le lecteur
dans l'impression que tout est faussé entre ces deux personnages qui
veulent se duper mutuellement? — Pourquoi, dans cette partie comme
dans celles qui précèdent, Mérimée est-il si peu prodigue du style direct?
Quelle valeur prennent les quelques maximes de Ledoux ainsi mises en
relief? Était-il commode, d'autre part, de donner la parole à Tamango?
— L'effet produit par la description des esclaves au milieu de ce récit :
comment la précision suffit-elle à créer l'horreur?

main du Noir plus qu'à moitié ivre, et aussitôt les esclaves
furent remis aux matelots français, qui se hâtèrent de leur ôter
65 leurs fourches de bois pour leur donner des carcans et des
menottes en fer; ce qui montre bien la supériorité de la civilisation européenne. (7)

Restait encore une trentaine d'esclaves : c'étaient des enfants,
des vieillards, des femmes infirmes. Le navire était plein.
70 Tamango, qui ne savait que faire de ce rebut, offrit au capitaine de les lui vendre pour une bouteille d'eau-de-vie la pièce.
L'offre était séduisante. Ledoux se souvint qu'à la représentation des *Vêpres siciliennes*[1] à Nantes, il avait vu bon nombre
de gens gros et gras entrer dans un parterre déjà plein, et
75 parvenir cependant à s'y asseoir, en vertu de la compressi-
bilité des corps humains. Il prit les plus sveltes des trente
esclaves.

Alors Tamango ne demanda plus qu'un verre d'eau-de-vie
pour chacun des dix restants. Ledoux réfléchit que les enfants
80 ne payent et n'occupent que demi-place dans les voitures
publiques. Il prit donc trois enfants; mais il déclara qu'il ne
voulait plus se charger d'un seul Noir (8). Tamango, voyant
qu'il lui restait encore sept esclaves sur les bras, saisit son fusil
et coucha en joue une femme qui venait la première : c'était
85 la mère des trois enfants.

« Achète, dit-il au Blanc, ou je la tue; une petit verre d'eau-
de-vie ou je tire.

— Et que diable veux-tu que j'en fasse? » répondit Ledoux.

---

1. *Les Vêpres siciliennes*, tragédie de Casimir Delavigne jouée en 1819 avec un
grand succès.

──────── **QUESTIONS** ────────

**7.** Comment se traduit l'accélération du récit par rapport aux épisodes
précédents? En quoi cette cadence de plus en plus rapide correspond-elle
au vertige créé par l'ivresse? — Relevez tous les détails qui révèlent que
Ledoux l'emporte aisément sur son partenaire. — Définissez le ton de la
remarque finale : *ce qui montre bien la supériorité de la civilisation
européenne.* A quel auteur du XVIIIe siècle fait penser ce procédé?

**8.** Montrez comment s'accentue encore le contraste entre Tamango
et Ledoux : quelle est maintenant la seule envie qui domine le chef noir
et dicte ses demandes? Pourquoi le capitaine, au lieu d'accepter sans
hésiter ce qu'on lui offre, se donne-t-il des motifs « raisonnables » de
prendre des esclaves en surcharge? Que penser des comparaisons avec
une représentation théâtrale (lignes 173-175) ou une voiture publique
(lignes 180-181)?

Tamango fit feu, et l'esclave tomba morte à terre.

190 « Allons, à un autre! s'écria Tamango en visant un vieillard tout cassé : un verre d'eau-de-vie, ou bien... »

Une des femmes lui détourna le bras, et le coup partit au hasard. Elle venait de reconnaître dans le vieillard que son mari allait tuer un *guiriot* ou magicien, qui lui avait prédit 195 qu'elle serait reine.

Tamango, que l'eau-de-vie avait rendu furieux, ne se posséda plus en voyant qu'on s'opposait à ses volontés. Il frappa rudement sa femme de la crosse de son fusil; puis se tournant vers Ledoux :

200 « Tiens, dit-il, je te donne cette femme. »

Elle était jolie. Ledoux la regarda en souriant, puis il la prit par la main :

« Je trouverai bien où la mettre », dit-il.

L'interprète était un homme humain. Il donna une taba-205 tière de carton à Tamango, et lui demanda les six esclaves restants. Il les délivra de leurs fourches, et leur permit de s'en aller où bon leur semblerait. Aussitôt ils se sauvèrent, qui deçà, qui delà, fort embarrassés de retourner dans leur pays à deux cents lieues de la côte. **(9)**

210 Cependant le capitaine dit adieu à Tamango et s'occupa de faire au plus vite embarquer sa cargaison. Il n'était pas prudent de rester longtemps en rivière; les croiseurs pouvaient reparaître, et il voulait appareiller le lendemain. Pour Tamango, il se coucha sur l'herbe, à l'ombre, et dormit pour cuver son 215 eau-de-vie.

Quand il se réveilla, le vaisseau était déjà sous voiles et descendait la rivière. Tamango, la tête encore embarrassée de la débauche de la veille, demanda sa femme Ayché. On lui répondit qu'elle avait eu le malheur de lui déplaire, et qu'il 220 l'avait donnée en présent au capitaine blanc, lequel l'avait emmenée à son bord. A cette nouvelle, Tamango stupéfait se frappa la tête, puis il prit son fusil, et, comme la rivière faisait

─────── **QUESTIONS** ───────

9. Quelle nouvelle étape est encore franchie dans la progression dramatique? — Sur quel sentiment du capitaine le chef noir comptait-il pour le faire céder (ligne 186)? Pourquoi Ledoux se révèle-t-il encore plus odieux (ligne 188) que Tamango? — Au milieu de ce déchaînement de fureur et de cynisme, les deux gestes d'humanité, celui de la femme (ligne 192) et celui de l'interprète (lignes 204-209), compensent-ils la violence? En quoi sont-ils dérisoires et tragiques? Que représente, pour les six esclaves, la liberté qu'on leur rend?

plusieurs détours avant de se décharger dans la mer, il courut, par le chemin le plus direct, à une petit anse, éloignée de l'em-
25 bouchure d'une demi-lieue. Là, il espérait trouver un canot avec lequel il pourrait joindre le brick, dont les sinuosités de la rivière devaient retarder la marche. Il ne se trompait pas : en effet, il eut le temps de se jeter dans un canot et de joindre le négrier.

30 Ledoux fut surpris de le voir, mais encore plus de l'entendre redemander sa femme.

« Bien donné ne se reprend plus », répondit-il.

Et il lui tourna le dos. **(10)**

Le Noir insista, offrant de rendre une partie des objets qu'il
35 avait reçus en échange des esclaves. Le capitaine se mit à rire, dit qu'Ayché était une très bonne femme, et qu'il voulait la garder. Alors le pauvre Tamango versa un torrent de larmes, et poussa des cris de douleur aussi aigus que ceux d'un malheureux qui subit une opération chirurgicale. Tantôt il se roulait
40 sur le pont en appelant sa chère Ayché; tantôt il se frappait la tête contre les planches, comme pour se tuer. Toujours impassible, le capitaine, en lui montrant le rivage, lui faisait signe qu'il était temps pour lui de s'en aller; mais Tamango persistait. Il offrit jusqu'à ses épaulettes d'or, son fusil et son
45 sabre. Tout fut inutile. **(11)**

Pendant ce débat, le lieutenant de l'*Espérance* dit au capitaine :

« Il nous est mort cette nuit trois esclaves, nous avons de la place. Pourquoi ne prendrions-nous pas ce vigoureux coquin, qui vaut mieux à lui seul que les trois morts? » Ledoux fit
50 réflexion que Tamango se vendrait bien mille écus[1]; que ce voyage, qui s'annonçait comme très profitable pour lui, serait probablement son dernier; qu'enfin sa fortune étant faite, et

---

1. Voir page 63, note 1.

─────── **QUESTIONS** ───────

**10.** Étudiez le style narratif de ce passage (lignes 216-229) : la rapidité avec laquelle se noue le drame de Tamango. — A quoi reconnaît-on que la lucidité succède aux vapeurs de l'ivresse? Que reste-t-il maintenant du potentat décrit dans les scènes précédentes? — La rencontre avec Ledoux (lignes 230-234) : quel trait de caractère du capitaine reparaît en cette circonstance?

**11.** Comment se manifeste la douleur du Noir? Est-il ridicule ou pathétique? Quel sentiment le lecteur éprouve-t-il maintenant pour lui? — S'attendait-on de la part du capitaine à une telle insensibilité? Peut-on expliquer les motifs de son attitude?

lui renonçant au commerce d'esclaves, peu lui importait de
laisser à la côte de Guinée une bonne ou une mauvaise répu-
255 tation. D'ailleurs, le rivage était désert, et le guerrier africain
entièrement à sa merci **(12)**. Il ne s'agissait plus que de lui
enlever ses armes; car il eût été dangereux de mettre la main
sur lui pendant qu'il les avait encore en sa possession. Ledoux
lui demanda donc son fusil, comme pour l'examiner et s'assu-
260 rer s'il valait bien autant que la belle Ayché. En faisant jouer
les ressorts, il eut soin de laisser tomber la poudre de l'amorce.
Le lieutenant de son côté maniait le sabre; et, Tamango se
trouvant ainsi désarmé, deux vigoureux matelots se jetèrent
sur lui, le renversèrent sur le dos, et se mirent en devoir de le
265 garrotter. La résistance du Noir fut héroïque. Revenu de sa
première surprise, et malgré le désavantage de sa position, il
lutta longtemps contre les deux matelots. Grâce à sa force
prodigieuse, il parvint à se relever. D'un coup de poing, il
terrassa l'homme qui le tenait au collet; il laissa un morceau
270 de son habit entre les mains de l'autre matelot, et s'élança
comme un furieux sur le lieutenant pour lui arracher son
sabre. Celui-ci l'en frappa à la tête, et lui fit une blessure large,
mais peu profonde. Tamango tomba une seconde fois. Aussitôt
on lui lia fortement les pieds et les mains. Tandis qu'il se
275 défendait, il poussait des cris de rage, et s'agitait comme un
sanglier pris dans les toiles; mais, lorsqu'il vit que toute résistance était inutile, il ferma les yeux et ne fit plus aucun mouvement. Sa respiration forte et précipitée prouvait seule qu'il
était encore vivant.
280 « Parbleu! s'écria le capitaine Ledoux, les Noirs qu'il a
vendus vont rire de bon cœur en le voyant esclave à son tour.
C'est pour le coup qu'ils verront bien qu'il y a une Providence. » **(13)**

─────── **QUESTIONS** ───────

**12.** En confiant au lieutenant le soin de suggérer la capture de Tamango,
l'auteur a-t-il l'intention d'alléger la responsabilité de Ledoux? — Le
« monologue intérieur » du capitaine (lignes 249-258) : avons-nous déjà
eu l'occasion de pénétrer ainsi dans sa conscience? Quel argument pré-
domine dans sa décision? — La valeur dramatique de ce moment : quelle
expression laisse prévoir la suite du récit?

**13.** Relevez les détails qui donnent une extrême précision aux épisodes
de cette capture. — L'attitude du vaincu : peut-on deviner ses sentiments? — La réflexion de Ledoux (lignes 280-283) est-elle fausse en
elle-même? Est-ce la première fois que le capitaine couvre son action de
maximes morales? Est-ce cynisme ou inconscience?

Cependant le pauvre Tamango perdait tout son sang. Le
285 charitable interprète qui, la veille, avait sauvé la vie à six
esclaves, s'approcha de lui, banda sa blessure et lui adressa
quelques paroles de consolation. Ce qu'il put lui dire, je l'ignore.
Le Noir restait immobile, ainsi qu'un cadavre. Il fallut que
deux matelots le portassent comme un paquet dans l'entre-
290 pont, à la place qui lui était destinée. Pendant deux jours, il
ne voulut ni boire ni manger ; à peine lui vit-on ouvrir les yeux.
Ses compagnons de captivité, autrefois ses prisonniers, le
virent paraître au milieu d'eux avec un étonnement stupide.
Telle était la crainte qu'il leur inspirait encore, que pas un seul
295 n'osa insulter à la misère de celui qui avait causé la leur. **(14)**

Favorisé par un bon vent de terre, le vaisseau s'éloignait
rapidement de la côte d'Afrique. Déjà sans inquiétude au
sujet de la croisière anglaise[1], le capitaine ne pensait plus
qu'aux énormes bénéfices qui l'attendaient dans les colonies
300 vers lesquelles il se dirigeait. Son bois d'ébène[2] se maintenait
sans avaries. Point de maladies contagieuses. Douze nègres
seulement, et des plus faibles, étaient morts de chaleur : c'était
bagatelle. Afin que sa cargaison humaine souffrît le moins
possible des fatigues de la traversée, il avait l'attention de
305 faire monter tous les jours ses esclaves sur le pont **(15)**. Tour
à tour un tiers de ces malheureux avait une heure pour faire
sa provision d'air de toute la journée. Une partie de l'équipage les surveillait armée jusqu'aux dents, de peur de révolte ;
d'ailleurs, on avait soin de ne jamais leur ôter entièrement
310 leurs fers[3]. Quelquefois un matelot qui savait jouer du violon
les régalait d'un concert. Il était alors curieux de voir toutes
ces figures noires se tourner vers le musicien, perdre par degrés
leur expression de désespoir stupide, rire d'un gros rire et

---

1. *La croisière anglaise :* les croiseurs. Voir page 59, note 9 ; 2. Voir page 60, note 1 ;
3. *Les fers.* Il s'agit des menottes et des lourdes chaînes attachées à un boulet qui
entravent tous les mouvements des esclaves.

──────── **QUESTIONS** ────────

14. Cette attitude des compagnons de captivité de Tamango était-elle
celle qu'avait prévue Ledoux ? — Est-ce seulement la crainte qui rend
muets les autres Noirs ?

15. Le style du récit : étudiez le rythme et le vocabulaire de ce passage ;
comment semblent se manifester les signes d'une heureuse entreprise ?
Sous quelle forme transparaît de nouveau le cynisme de Ledoux ?

battre des mains quand leurs chaînes le leur permettaient.
315 L'exercice est nécessaire à la santé; aussi l'une des salutaires
pratiques du capitaine Ledoux, c'était de faire souvent danser
ses esclaves, comme on fait piaffer des chevaux embarqués
pour une longue traversée.

« Allons, mes enfants, dansez, amusez-vous », disait le
320 capitaine d'une voix de tonnerre, en faisant claquer un énorme
fouet de poste[1].

Et aussitôt les pauvres Noirs sautaient et dansaient. **(16)**
Quelque temps la blessure de Tamango le retint sous les
écoutilles[2]. Il parut enfin sur le pont; et d'abord, relevant la
325 tête avec fierté au milieu de la foule craintive des esclaves, il
jeta un coup d'œil triste, mais calme, sur l'immense étendue
d'eau qui environnait le navire, puis il se coucha, ou plutôt
se laissa tomber sur les planches du tillac[3], sans prendre même
le soin d'arranger ses fers de manière qu'ils lui fussent moins
330 incommodes. Ledoux, assis au gaillard d'arrière[4], fumait
tranquillement sa pipe. Près de lui, Ayché, sans fers, vêtue
d'une robe élégante de cotonnade bleue, les pieds chaussés
de jolies pantoufles de maroquin[5], portant à la main un pla-
teau chargé de liqueurs, se tenait prête à lui servir à boire. Il
335 était évident qu'elle remplissait de hautes fonctions auprès
du capitaine. Un Noir, qui détestait Tamango, lui fit signe de
regarder de ce côté. Tamango tourna la tête, l'aperçut, poussa
un cri; et, se levant avec impétuosité, courut vers le gaillard
d'arrière avant que les matelots de garde eussent pu s'opposer
340 à une infraction aussi énorme de toute discipline navale :

« Ayché! cria-t-il d'une voix foudroyante, et Ayché poussa

---

1. *Fouet de poste :* fouet du genre de ceux qu'utilisaient les postillons, c'est-à-dire
les conducteurs des chevaux de la poste (service public de relais de chevaux pour
le transport des voyageurs et du courrier); 2. *Écoutille :* ouverture (à peu près carrée)
pratiquée dans le pont d'un navire pour descendre dans l'intérieur; 3. *Tillac :* plancher des gaillards (d'avant et d'arrière); 4. *Gaillard :* partie extrême du pont supérieur du navire. Le *gaillard d'arrière* était réservé aux officiers; 5. *Maroquin :* cuir
(de bouc ou de chèvre) tanné et mis en couleur du côté de la fleur avec de la noix
de galle ou d'autres teintures d'origine végétale.

---

**━━━━━ QUESTIONS ━━━━━**

**16.** D'où vient la cruauté atroce de cette scène? Étudiez l'effet produit par les images de violence et de haine juxtaposées aux images de
joie et de douceur que fait naître la musique. — Les sentiments de Mérimée à l'égard des Noirs s'expriment-ils directement? Quel effet l'esclavage a-t-il produit sur l'âme des Noirs?

un cri de terreur; crois-tu que dans le pays des Blancs il n'y
ait point de MAMA-JUMBO[1]? »

Déjà des matelots accouraient le bâton levé; mais Tamango,
345 les bras croisés, et comme insensible, retournait tranquillement
à sa place, tandis qu'Ayché, fondant en larmes, semblait
pétrifiée par ces mystérieuses paroles. (17)

L'interprète expliqua ce qu'était ce terrible Mama-Jumbo,
dont le nom seul produisait tant d'horreur.

350 « C'est le Croquemitaine des nègres, dit-il. Quand un mari
a peur que sa femme ne fasse ce que font bien des femmes
en France comme en Afrique, il la menace du Mama-Jumbo.
Moi, qui vous parle, j'ai vu le Mama-Jumbo, et j'ai compris
la ruse; mais les Noirs..., comme c'est simple, cela ne comprend
355 rien. Figurez-vous qu'un soir, pendant que les femmes s'amu-
saient à danser, à faire un *folgar*, comme ils disent dans leur
jargon, voilà que, d'un petit bois bien touffu et bien sombre,
on entend une musique étrange, sans que l'on vît personne
pour la faire; tous les musiciens étaient cachés dans le bois.
360 Il y avait des flûtes de roseau, des tambourins de bois, des
*balafos*, et des guitares faites avec des moitiés de calebasses[2].
Tout cela jouait un air à porter le diable en terre. Les femmes
n'ont pas plus tôt entendu cet air-là, qu'elles se mettent à
trembler, elles veulent se sauver, mais les maris les retiennent :
365 elles savaient bien ce qui leur pendait à l'oreille. Tout à coup
sort du bois une grande figure blanche, haute comme notre
mât de perroquet[3], avec une tête grosse comme un boisseau[4],
des yeux larges comme des écubiers[5], et une gueule comme
celle du diable avec du feu dedans. Cela marchait lentement,
370 lentement; et cela n'alla pas plus loin qu'à demi-encablure[6]
du bois, Les femmes criaient :

« Voilà Mama-Jumbo! »

---

1. Cette légende de *Mama-Jumbo* est empruntée par Mérimée à la relation du
voyage de l'explorateur Mungo Park (voir Alexander H. Krappe, *Revue d'histoire
littéraire*, 1928). Mais, chez l'explorateur, le fétiche se nommait « Mumbo-Jumbo »,
et c'était une croyance des Soudanais, non des Sénégalais, comme ici; 2. *Cale-
basse :* gros fruit qui, vidé et séché, sert de récipient; 3. *Mât de perroquet :* mât
qui se fixait à un autre mât pour le prolonger; 4. *Boisseau :* ancienne mesure de
capacité valant généralement 13 litres; 5. *Écubier :* gros manchon de fonte fixé dans
la paroi du vaisseau pour laisser passer les chaînes ou les câbles; 6. *Encablure :*
longueur d'un câble utilisé comme mesure. Elle vaut 194,88 m.

--- QUESTIONS ---

17. Quelle est l'importance de cette scène? Caractérisez l'attitude des
différents personnages.

Elles braillaient comme des vendeuses d'huîtres. Alors les maris leur disaient :

375 « Allons, coquines, dites-nous si vous avez été sages; si « vous mentez, Mama-Jumbo est là pour vous manger toutes « crues. » Il y en avait qui étaient assez simples pour avouer, et alors les maris les battaient comme plâtre.

— Et qu'était-ce donc que cette figure blanche, ce Mama-
380 Jumbo? demanda le capitaine.

— Eh bien, c'était un farceur affublé d'un grand drap blanc, portant, au lieu de tête, une citrouille creusée et garnie d'une chandelle allumée au bout d'un grand bâton. Cela n'est pas plus malin et il ne faut pas de grands frais d'esprit pour attra-
385 per les Noirs. Avec tout cela, c'est une bonne invention que le Mama-Jumbo, et je voudrais que ma femme y crût. **(18)**

— Pour la mienne, dit Ledoux, si elle n'a pas peur de Mama-Jumbo, elle a peur de Martin-Bâton; et elle sait de reste comment je l'arrangerais si elle me jouait quelque tour. Nous ne sommes
390 pas endurants dans la famille des Ledoux, et, quoique je n'aie qu'un poignet, je manie encore assez bien une garcette[1]. Quant à votre drôle, là-bas, qui parle du Mama-Jumbo, dites-lui qu'il se tienne bien et qu'il ne fasse pas peur à la petite mère que voici, ou je lui ferai si bien ratisser l'échine, que son cuir, de
395 Noir, deviendra rouge comme un rosbif cru. »

A ces mots, le capitaine descendit dans sa chambre, fit venir Ayché et tâcha de la consoler : mais ni les caresses, ni les coups même, car on perd patience à la fin, ne purent rendre traitable la belle négresse; des flots de larmes cou-
400 laient de ses yeux. Le capitaine remonta sur le pont, de mau- vaise humeur, et querella l'officier de quart sur la manœuvre qu'il commandait dans le moment.

La nuit, lorsque presque tout l'équipage dormait d'un pro- fond sommeil, les hommes de garde entendirent d'abord un

---

1. *Garcette :* tresse faite de vieux cordages détressés, qui servait à châtier les mousses et les matelots.

---

**QUESTIONS**

**18.** Étudiez l'art du conteur dans cette anecdote; examinez surtout comment Mérimée adapte son récit au caractère et à la situation du narra- teur. — Faut-il considérer ce passage comme une digression dans le récit? Par quels détails Mérimée laisse-t-il transparaître son sentiment sur les superstitions qu'on attribue aux Noirs?

405 chant grave, solennel, lugubre, qui partait de l'entrepont, puis
un cri de femme horriblement aigu. Aussitôt après, la grosse
voix de Ledoux jurant et menaçant, et le bruit de son terrible
fouet, retentirent dans tout le bâtiment. Un instant après,
tout rentra dans le silence. Le lendemain, Tamango parut
410 sur le pont la figure meurtrie, mais l'air aussi fier, aussi résolu
qu'auparavant.

A peine Ayché l'eut-elle aperçu, que quittant le gaillard
d'arrière où elle était assise à côté du capitaine, elle courut
avec rapidité vers Tamango, s'agenouilla devant lui, et lui dit
415 avec un accent de désespoir concentré :

« Pardonne-moi, Tamango, pardonne-moi! »

Tamango la regarda fixement pendant une minute; puis,
remarquant que l'interprète était éloigné :

« Une lime! » dit-il.

420 Et il se coucha sur le tillac en tournant le dos à Ayché. Le
capitaine la réprimanda vertement, lui donna même quelques
soufflets, et lui défendit de parler à son ex-mari; mais il était
loin de soupçonner le sens des courtes paroles qu'ils avaient
échangées, et il ne fit aucune question à ce sujet. **(19)**

425 Cependant Tamango, renfermé avec les autres esclaves, les
exhortait jour et nuit à tenter un effort généreux[1] pour recouvrer leur liberté. Il leur parlait du petit nombre des Blancs,
et leur faisait remarquer la négligence toujours croissante de
leurs gardiens; puis, sans s'expliquer nettement, il disait qu'il
430 saurait les ramener dans leur pays, vantait son savoir dans les
sciences occultes, dont les Noirs sont fort entichés, et menaçait de la vengeance du diable ceux qui se refuseraient à l'aider
dans son entreprise. Dans ses harangues, il ne se servait que
du dialecte des Peules[2], qu'entendaient la plupart des esclaves,
435 mais que l'interprète ne comprenait pas. La réputation de

---

1. *Généreux :* qui témoigne d'une âme noble (sens classique); 2. Les *Peules*, ou
Peuls, ou Peuhls, ou Foulbé, sont un peuple de l'Afrique occidentale (Sénégal, Mali,
république de Haute-Volta, Niger, Nigeria, Cameroun, Tchad).

---

━━━━━━ **QUESTIONS** ━━━━━━━━━━━━━━━━━━━━━

**19.** Comment l'auteur peint-il ces scènes et leur donne-t-il un caractère
tragique? — Quel effet produit la scène nocturne où l'on ne peut que
deviner ce qui se passe à travers les bruits et les cris (lignes 403-411)?
— Décrivez l'attitude de Tamango. Quels sentiments révèle-t-elle?
— Imaginez les sentiments d'Ayché. — Pourquoi Ledoux ne se
doute-t-il de rien? Relevez tous les détails traduisant le malaise qui
succède à l'euphorie du début du voyage.

l'orateur, l'habitude qu'avaient les esclaves de le craindre et
de lui obéir, vinrent merveilleusement au secours de son éloquence, et les Noirs le pressèrent de fixer un jour pour leur
délivrance, bien avant que lui-même se crût en état de l'effec-
440 tuer **(20)**. Il répondait vaguement aux conjurés que le temps
n'était pas venu, et que le diable, qui lui apparaissait en songe,
ne l'avait pas encore averti, mais qu'ils eussent à se tenir
prêts au premier signal. Cependant il ne négligeait aucune
occasion de faire des expériences sur la vigilance de ses gardiens.
445 Une fois, un matelot laissant son fusil appuyé contre les plats-
bords[1], s'amusait à regarder une troupe de poissons volants
qui suivaient le vaisseau; Tamango prit le fusil et se mit à le
manier, imitant avec des gestes grotesques les mouvements
qu'il avait vu faire à des matelots qui faisaient l'exercice.
450 On lui retira le fusil au bout d'un instant; mais il avait appris
qu'il pourrait toucher une arme sans éveiller immédiatement
le soupçon; et, quand le temps viendrait de s'en servir, bien
hardi celui qui voudrait la lui arracher des mains.

Un jour, Ayché lui jeta un biscuit en lui faisant un signe
455 que lui seul comprit. Le biscuit contenait une petite lime :
c'était de cet instrument que dépendait la réussite du complot.
D'abord Tamango se garda bien de montrer la lime à ses
compagnons; mais, lorsque la nuit fut venue, il se mit à mur-
murer des paroles inintelligibles qu'il accompagnait de gestes
460 bizarres. Par degrés, il s'anima jusqu'à pousser des cris. A
entendre les intonations variées de sa voix, on eût dit qu'il
était engagé dans une conversation animée avec une personne
invisible. Tous les esclaves tremblaient, ne doutant pas que le
diable ne fût en ce moment même au milieu d'eux. Tamango
465 mit fin à cette scène en poussant un cri de joie.

« Camarades, s'écria-t-il, l'esprit que j'ai conjuré vient enfin
de m'accorder ce qu'il m'avait promis, et je tiens dans mes
mains l'instrument de notre délivrance. Maintenant il ne vous
faut qu'un peu de courage pour vous faire libres. »

---

1. *Plat-bord* : bordage épais et large qui termine le pourtour du navire.

―――――― **QUESTIONS** ――――――

**20.** L'habileté de Tamango : comment se peut-il qu'il convainque ceux
qui ont été auparavant ses victimes? — Les différents arguments mis
en œuvre par Tamango : à quels sentiments, à quels espoirs fait-il appel?
— Ne réussit-il pas à les convaincre encore mieux qu'il ne le prévoyait?
Comment progresse le projet de révolte?

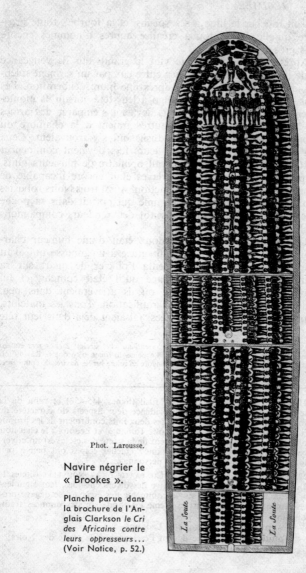

Navire négrier le
« Brookes ».

Planche parue dans
la brochure de l'An-
glais Clarkson *le Cri
des Africains contre
leurs oppresseurs...*
(Voir Notice, p. 52.)

470    Il fit toucher la lime à ses voisins, et la fourbe[1], toute grossière qu'elle était, trouva créance auprès d'hommes encore
plus grossiers. **(21) (22)**

       Après une longue attente vint le grand jour de vengeance
et de liberté. Les conjurés, liés entre eux par un serment solen-
475  nel, avaient arrêté leur plan après une mûre délibération. Les
plus déterminés, ayant Tamango à leur tête, lorsqu'ils monte-
raient à leur tour sur le pont, devaient s'emparer des armes
de leurs gardiens; quelques autres iraient à la chambre du
capitaine pour y prendre les fusils qui s'y trouvaient. Ceux
480  qui seraient parvenus à limer leurs fers devaient commencer
l'attaque; mais, malgré le travail opiniâtre de plusieurs nuits,
le plus grand nombre des esclaves était encore incapable de
prendre une part énergique à l'action. Aussi trois Noirs robustes
avaient la charge de tuer l'homme qui portait dans sa poche
485  la clef des fers[2], et d'aller aussitôt délivrer leurs compagnons
enchaînés.

       Ce jour-là, le capitaine Ledoux était d'une humeur char-
mante; contre sa coutume, il fit grâce à un mousse qui avait
mérité le fouet[3]. Il complimenta l'officier de quart sur sa
490  manœuvre, déclara à l'équipage qu'il était content, et lui
annonça qu'à la Martinique, où ils arriveraient dans peu,
chaque homme recevrait une gratification. Tous les matelots,
entretenant de si agréables idées, faisaient déjà dans leur tête

---

1. *Fourbe* : fourberie (terme classique, vieilli au XIXe siècle); 2. Les *fers* étaient
fermés à clef au moyen d'un cadenas; 3. La peine du fouet, bien que la Révolution
l'eût officiellement abolie (en 1792), était encore en usage sur les navires de commerce.

---

**━━━━━ QUESTIONS ━━━━━**

**21.** Les deux épisodes, celui du fusil (lignes 445-453) et celui de la
lime (lignes 454-472), mettent en évidence deux aspects du caractère de
Tamango : lesquels? — Comment ces deux faits confirment-ils les propos
qu'il tenait aux esclaves? — Comparez Tamango et Ledoux : le chef noir
semble-t-il encore (comme au moment de la vente des esclaves) un adversaire peu dangereux pour le capitaine? Quelles étapes ont peu à peu
modifié la situation entre les deux personnages?

**22.** SUR L'ENSEMBLE DE LA PREMIÈRE PARTIE DE LA NOUVELLE (lignes 1-
472). — Étudiez l'importance relative des divers épisodes, leur signification : comment, d'un récit sur le commerce des esclaves, se dégage pro-
gressivement un drame dont le thème est fondé sur des données traditionnelles.
       — Les caractères : Tamango et Ledoux.
       — L'attitude de Mérimée devant l'esclavage et la traite des Noirs.
       — L'ironie.

l'emploi de cette gratification. Ils pensaient à l'eau-de-vie et
95 aux femmes de couleur de la Martinique, lorsqu'on fit monter
sur le pont Tamango et les autres conjurés. **(23)**

Ils avaient eu soin de limer leurs fers de manière qu'ils ne
parussent pas être coupés, et que le moindre effort suffît cependant pour les rompre. D'ailleurs, ils les faisaient si bien réson-
00 ner, qu'à les entendre on eût dit qu'ils en portaient un double
poids. Après avoir humé l'air quelque temps, ils se prirent
tous par la main et se mirent à danser pendant que Tamango
entonnait le chant guerrier de sa famille[1], qu'il chantait autrefois avant d'aller au combat. Quand la danse eut duré quelque
05 temps, Tamango, comme épuisé de fatigue, se coucha de tout
son long au pied d'un matelot qui s'appuyait nonchalamment
contre les plats-bords du navire; tous les conjurés en firent
autant. De la sorte, chaque matelot était entouré de plusieurs
Noirs. **(24)**

10 Tout à coup Tamango, qui venait doucement de rompre
ses fers, pousse un grand cri, qui devait servir de signal, tire
violemment par les jambes le matelot qui se trouvait près
de lui, le culbute, et, lui mettant le pied sur le ventre, lui arrache
son fusil, et s'en sert pour tuer l'officier de quart. En même
15 temps, chaque matelot de garde est assailli, désarmé et aussitôt
égorgé. De toutes parts, un cri de guerre s'élève. Le contremaître[2], qui avait la clef des fers, succombe un des premiers.
Alors une foule de Noirs inondent[3] le tillac. Ceux qui ne

---

1. « Chaque capitaine nègre a le sien » (note de Mérimée); 2. *Contremaître* (grade
équivalant à celui de sergent dans l'armée de terre) : sous-officier marinier immédiatement inférieur au « maître »; on l'appelle aujourd'hui « second maître »; 3. *Inondent*
est une correction de 1850. Les éditions antérieures portaient « inonde ».

## ——— QUESTIONS ———

23. Étudiez l'effet produit par le contraste entre ces deux paragraphes
(lignes 473-486 et lignes 487-496). — Pouvait-on imaginer que les esclaves
auraient assez de maturité d'esprit et de résolution pour organiser avec
tant de précision le plan d'une conjuration? L'influence de Tamango
est-elle la seule cause de cette transformation? Quelle est l'intention de
l'auteur en montrant que les rôles sont inversés par rapport au début
du récit? — Comment se manifeste *l'humeur charmante* de Ledoux?
Quand on sait sa manière d'agir habituelle, n'y a-t-il pas là une faiblesse
de sa part? — Pourquoi peut-on dire à l'avance que la révolte des esclaves
ne leur permettra pas de profiter longtemps de leur liberté?

24. Quel effet est recherché par tous les détails accumulés ici? Pourquoi aucune des ruses imaginées par les Noirs ne peut-elle être soup-
çonnée?

peuvent trouver d'armes saisissent les barres du cabestan¹ ou
520 les rames de la chaloupe. Dès ce moment, l'équipage euro-
péen fut perdu. Cependant quelques matelots firent tête sur
le gaillard d'arrière; mais ils manquaient d'armes et de résolution. Ledoux était encore vivant et n'avait rien perdu de
son courage. S'apercevant que Tamango était l'âme de la
525 conjuration, il espéra que, s'il pouvait le tuer, il aurait bon
marché² de ses complices. Il s'élança donc à sa rencontre, le
sabre à la main, en l'appelant, à grands cris (25). Aussitôt
Tamango se précipita sur lui. Il tenait un fusil par le bout
du canon et s'en servait comme d'une massue. Les deux chefs
530 se joignirent sur un des passavants, ce passage étroit qui commu-
nique du gaillard d'avant à l'arrière. Tamango frappa le premier. Par un léger mouvement de corps, le Blanc évita le coup.
La crosse, tombant avec force sur les planches, se brisa, et
le contrecoup fut si violent, que le fusil échappa des mains
535 de Tamango. Il était sans défense, et Ledoux, avec un sourire
de joie diabolique, levait le bras et allait le percer; mais Tamango
était aussi agile ques les panthères de son pays. Il s'élança
dans les bras de son adversaire, et lui saisit la main dont il
tenait son sabre. L'un s'efforce de retenir son arme, l'autre
540 de l'arracher. Dans cette lutte furieuse, ils tombent tous les
deux; mais l'Africain avait le dessous. Alors, sans se découra-
ger, Tamango, étreignant son adversaire de toute sa force, le
mordit à la gorge avec tant de violence, que le sang jaillit
comme sous la dent d'un lion. Le sabre échappa de la main
545 défaillante du capitaine. Tamango s'en saisit; puis, se relevant,
la bouche sanglante, et poussant un cri de triomphe, il perça
de coups redoublés son ennemi déjà demi-mort. (26)

---

1. *Cabestan* : voir page 64, note 1; 2. *Avoir bon marché* de quelqu'un : venir
facilement à bout de quelqu'un (locution familière).

───────── **QUESTIONS** ─────────

25. Le rythme du récit de la lutte : en quoi fait-il contraste avec le
tableau précédent (lignes 487-496 et 499-504)? — Étudiez le vocabulaire
en montrant les termes qui traduisent la violence progressive de la mêlée.
— S'attendait-on à voir un combat singulier entre Tamango et Ledoux?
Montrez que tout préparait ce duel suprême entre les deux chefs; pourquoi est-ce un épisode obligatoire?

26. Étudiez la composition de cet épisode : les péripéties ne pré-
sentent-elles pas un caractère « traditionnel »? Le dénouement en est-il
prévisible? Pourquoi la lutte reste-t-elle cependant passionnante? — Le
choix des détails et des comparaisons : comment Mérimée rejoint-il ici
la grandeur et la sauvagerie de l'épopée primitive?

La victoire n'était plus douteuse. Le peu de matelots qui
restaient essayèrent d'implorer la pitié des révoltés; mais tous,
50 jusqu'à l'interprète, qui ne leur avait jamais fait de mal, furent
impitoyablement massacrés. Le lieutenant mourut avec gloire.
Il s'était retiré à l'arrière, auprès d'un de ces petits canons
qui tournent sur un pivot, et que l'on charge de mitraille[1].
De la main gauche, il dirigea la pièce, et, de la droite, armé
55 d'un sabre, il se défendit si bien qu'il attira autour de lui une
foule de Noirs. Alors, pressant la détente du canon, il fit au
milieu de cette masse serrée une large rue pavée de morts et
de mourants. Un instant après il fut mis en pièces. **(27)**

Lorsque le cadavre du dernier Blanc, déchiqueté et coupé
60 par morceaux, eut été jeté à la mer, les Noirs, rassasiés de
vengeance, levèrent les yeux vers les voiles du navire, qui,
toujours enflées par un vent frais, semblaient obéir encore à
leurs oppresseurs et mener les vainqueurs, malgré leur triomphe,
vers la terre de l'esclavage.

65 « Rien n'est donc fait, pensèrent-ils avec tristesse; et ce
grand fétiche des Blancs voudra-t-il nous ramener dans notre
pays, nous qui avons versé le sang de ses maîtres? »

Quelques-uns dirent que Tamango saurait le faire obéir.
Aussitôt on appelle Tamango à grands cris.

70 Il ne se pressait pas de se montrer. On le trouva dans la
chambre de poupe[2], debout, une main appuyée sur le sabre
sanglant du capitaine; l'autre, il la tendait d'un air distrait
à sa femme Ayché, qui la baisait à genoux devant lui. La joie
d'avoir vaincu ne diminuait pas une sombre inquiétude qui
75 se trahissait dans toute sa contenance. Moins grossier que
les autres, il sentait mieux la difficulté de sa position. **(28)**

---

1. *Mitraille* : amas de ferraille et de balles de fer dont on chargeait les canons pour
tirer contre l'infanterie à courte distance; 2. *Chambre de poupe* : appartement du
commandant qui se trouve dans la poupe (partie arrière du vaisseau).

──────── ■ QUESTIONS ────────

**27.** Peut-on prévoir déjà quelle sera la conséquence de ce massacre
général? — Quelle valeur symbolique la mort du lieutenant prend-elle?
Se rappelle-t-on sa responsabilité dans la tournure qu'ont prise les événements? Les rares détails qu'on a pu connaître de lui au cours du récit
permettent-ils d'imaginer son caractère?

**28.** S'attendait-on à ce que l'ivresse de la victoire fût si courte? Analysez l'effet dramatique produit par ce brusque revirement : est-il vraisemblable? — Est-il naturel que les Noirs, si bien organisés pour la révolte,
soient si vite et totalement désemparés? — Le comportement de Tamango :
de quoi semble-t-il avoir maintenant conscience?

Il parut enfin sur le tillac, affectant un calme qu'il n'éprouvait pas. Pressé par cent voix confuses de diriger la course du vaisseau, il s'approcha du gouvernail à pas lents, comme
580 pour retarder un peu le moment qui allait, pour lui-même et pour les autres, décider de l'étendue de son pouvoir.

Dans tout le vaisseau, il n'y avait pas un Noir, si stupide qu'il fût, qui n'eût remarqué l'influence qu'une certaine roue et la boîte[1] placée en face exerçaient sur les mouvements du
585 navire; mais, dans ce mécanisme, il y avait toujours pour eux un grand mystère. Tamango examina la boussole pendant longtemps en remuant les lèvres, comme s'il lisait les caractères qu'il y voyait tracés; puis il portait la main à son front, et prenait l'attitude pensive d'un homme qui fait un calcul
590 de tête. Tous les Noirs l'entouraient, la bouche béante, les yeux démesurément ouverts, suivant avec anxiété le moindre de ses gestes. Enfin, avec ce mélange de crainte et de confiance que l'ignorance donne, il imprima un violent mouvement à la roue du gouvernail. **(29)**

595 Comme un généreux coursier qui se cabre sous l'éperon d'un cavalier imprudent, le beau brick l'*Espérance* bondit sur la vague à cette manœuvre inouïe. On eût dit qu'indigné il voulait s'engloutir avec son pilote ignorant. Le rapport nécessaire entre la direction des voiles et celle du gouvernail étant
600 brusquement rompu, le vaisseau s'inclina avec tant de violence, qu'on eût dit qu'il allait s'abîmer. Ses longues vergues[2] plongèrent dans la mer. Plusieurs hommes furent renversés; quelques-uns tombèrent par-dessus le bord. Bientôt le vaisseau se releva fièrement contre la lame, comme pour lutter encore
605 une fois avec la destruction. Le vent redoubla d'efforts, et tout d'un coup, avec un bruit horrible, tombèrent les deux mâts, cassés à quelques pieds du pont, couvrant le tillac de débris et comme d'un lourd filet de cordages.

---

**1.** La *roue* est évidemment celle qui commande le gouvernail (la barre); la *boîte* est celle qui renferme la boussole; **2.** *Vergue :* longue pièce de bois placée en travers d'un mât et qui sert à soutenir les voiles.

---

### QUESTIONS

**29.** A quels moments du récit a-t-on déjà vu que Tamango avait le goût des attitudes théâtrales et savait plus ou moins en tirer parti? Quel espoir peut-il nourrir en accomplissant les gestes qu'il mime devant la boussole? — Pourquoi l'ignorance donne-t-elle un *mélange de crainte et de confiance* (ligne 592)?

Les nègres épouvantés fuyaient sous les écoutilles en pous-
610 sant des cris de terreur; mais, comme le vent ne trouvait plus
de prise, le vaisseau se releva et se laissa doucement ballotter
par les flots. Alors les plus hardis des Noirs remontèrent sur
le tillac et le débarrassèrent des débris qui l'obstruaient.
Tamango restait immobile, le coude appuyé sur l'habitacle[1]
615 et se cachant le visage sur son bras replié. Ayché était auprès
de lui, mais n'osait lui adresser la parole **(30)**. Peu à peu les
Noirs s'approchèrent; un murmure s'éleva, qui bientôt se
changea en un orage de reproches et d'injures.

« Perfide! imposteur! s'écriaient-ils, c'est toi qui as causé
620 tous nos maux, c'est toi qui nous as vendus aux Blancs, c'est
toi qui nous as contraints de nous révolter contre eux. Tu
nous avais vanté ton savoir, tu nous avais promis de nous
ramener dans notre pays. Nous t'avons cru, insensés que nous
étions! et voilà que nous avons manqué de périr tous parce
625 que tu as offensé le fétiche des Blancs. »

Tamango releva fièrement la tête, et les Noirs qui l'entouraient reculèrent intimidés. Il ramassa deux fusils, fit signe
à sa femme de le suivre, traversa la foule, qui s'ouvrit devant
lui, et se dirigea vers l'avant du vaisseau. Là, il se fit comme
630 un rempart avec des tonneaux vides et des planches; puis il
s'assit au milieu de cette espèce de retranchement, d'où sor-
taient menaçantes les baïonnettes de ses deux fusils. On le laissa
tranquille. Parmi les révoltés, les uns pleuraient; d'autres,
levant les mains au ciel, invoquaient leurs fétiches et ceux des
635 Blancs; ceux-ci, à genoux devant la boussole, dont ils admi-
raient le mouvement continuel, la suppliaient de les ramener
dans leur pays; ceux-là se couchaient sur le tillac dans un
morne abattement. Au milieu de ces désespérés, qu'on se représente des femmes et des enfants hurlant d'effroi, et une vingtaine

---

1. *Habitacle :* boîte de la boussole, ou compas. Il est en cuivre, avec un couvercle de verre.

──────── **QUESTIONS** ────────

30. Quels détails concourent à faire du vaisseau un être vivant
(lignes 595-605)? Cette comparaison est-elle seulement un ornement littéraire traditionnel dans les récits maritimes? Comment dramatise-t-elle
la réalité de la situation? — Quel détail, inséré dans le début du récit,
rend vraisemblable la chute des mâts? — Après la violence du choc,
quelle impression, plus terrible encore, domine à la fin de cet épisode
(lignes 609-616)?

640 de blessés implorant des secours que personne ne pensait
à leur donner. **(31)**

Tout à coup un nègre paraît sur le tillac : son visage est
radieux. Il annonce qu'il vient de découvrir l'endroit où les
Blancs gardent leur eau-de-vie ; sa joie et sa contenance prouvent
645 assez qu'il vient d'en faire l'essai. Cette nouvelle suspend un
instant les cris de ces malheureux. Ils courent à la cambuse[1]
et se gorgent de liqueur. Une heure après, on les eût vus sauter
et rire sur le pont, se livrant à toutes les extravagances de
l'ivresse la plus brutale. Leurs danses et leurs chants étaient
650 accompagnés des gémissements et des sanglots des blessés.
Ainsi se passa le reste du jour et toute la nuit.

Le matin, au réveil, nouveau désespoir. Pendant la nuit,
un grand nombre de blessés étaient morts. Le vaisseau flottait
entouré de cadavres. La mer était grosse et le ciel brumeux.
655 On tint conseil. Quelques apprentis dans l'art magique, qui
n'avaient point osé parler de leur savoir-faire devant Tamango,
offrirent tour à tour leurs services. On essaya plusieurs conjura-
tions puissantes. A chaque tentative inutile, le décourage-
ment augmentait. Enfin on reparla de Tamango, qui n'était
660 pas encore sorti de son retranchement. Après tout, c'était le
plus savant d'entre eux, et lui seul pouvait les tirer de la situation horrible où il les avait placés. Un vieillard s'approcha de
lui, porteur de propositions de paix. Il le pria de venir donner
son avis ; mais Tamango, inflexible comme Coriolan[2], fut
665 sourd à ses prières. La nuit, au milieu du désordre, il avait
fait sa provision de biscuits et de chair salée. Il paraissait
déterminé à vivre seul dans sa retraite. **(32)**

---

1. *Cambuse* : magasin, dans l'entrepont du navire, où se conservent les vivres ;
2. *Coriolan* (Caius Marcius Coriolanus) : général romain du $V^e$ siècle av. J.-C., qui,
après avoir vaincu les Volsques, se mit à leur tête pour se venger de sa patrie qu'il
jugeait ingrate ; insensible aux supplications des messagers envoyés par le sénat, il
ne se laissa fléchir que par les larmes de sa mère Véturie et de sa femme Volumnie.

──────── **QUESTIONS** ────────

**31.** Le réquisitoire des esclaves contre Tamango (lignes 618-625) est-il
justifié ? — Pourquoi les Noirs laissent-ils Tamango tranquille ? — Les
images du désespoir (lignes 633-641) : leur valeur humaine.

**32.** L'effet de contraste entre les lignes 645-650 et le passage suivant
(lignes 652-654) : quelle est la portée allégorique de ces images d'êtres
humains dominés par une catastrophe devant laquelle ils sont impuis-
sants ? — Les alternances de fausse joie et d'abattement, les tentatives
des habiles : comment Tamango redevient-il maître de la situation ?

L'eau-de-vie restait. Au moins elle fait oublier et la mer, et l'esclavage, et la mort prochaine. On dort, on rêve de l'Afrique, on voit des forêts de gommiers, des cases couvertes en paille, des baobabs dont l'ombre couvre tout un village. L'orgie de la veille recommença. De la sorte se passèrent plusieurs jours. Crier, pleurer, s'arracher les cheveux, puis s'enivrer et dormir, telle était leur vie. Plusieurs moururent à force de boire; quelques-uns se jetèrent à la mer, ou se poignardèrent. **(33)**

Un matin, Tamango sortit de son fort et s'avança jusqu'auprès du tronçon du grand mât.

« Esclaves, dit-il, l'Esprit m'est apparu en songe et m'a révélé les moyens de vous tirer d'ici pour vous ramener dans votre pays. Votre ingratitude mériterait que je vous abandonnasse; mais j'ai pitié de ces femmes et de ces enfants qui crient. Je vous pardonne : écoutez-moi. »

Tous les Noirs baissèrent la tête avec respect et se serrèrent autour de lui.

« Les Blancs, poursuivit Tamango, connaissent seuls les paroles puissantes qui font remuer ces grandes maisons de bois; mais nous pouvons diriger à notre gré ces barques légères qui ressemblent à celles de notre pays. »

Il montrait la chaloupe et les hautes embarcations du brick.

« Remplissons-les de vivres, montons dedans, et ramons dans la direction du vent; mon maître et le vôtre le fera souffler vers notre pays. » **(34)**

On le crut. Jamais projet ne fut plus insensé. Ignorant l'usage de la boussole, et sous un ciel inconnu, il ne pouvait qu'errer à l'aventure. D'après ses idées, il s'imaginait qu'en ramant tout droit devant lui, il trouverait à la fin quelque terre habitée par les Noirs, car les Noirs possèdent la terre, et les Blancs vivent sur leurs vaisseaux. C'est ce qu'il avait entendu dire à sa mère.

Tout fut bientôt prêt pour l'embarquement; mais la chaloupe

─────── **QUESTIONS** ───────

**33.** Étudiez le rythme des trois premières phrases de ce paragraphe (lignes 668-671). Quelle est l'impression que cherche à créer l'auteur?

**34.** Pourquoi Tamango s'adresse-t-il à ses compagnons en les appelant *esclaves?* — Comment cherche-t-il à se donner le beau rôle malgré ses défaites? Commentez les termes *ingratitude* et *je vous pardonne* (lignes 681 et 683). — Pourquoi a-t-il attendu plusieurs jours avant de prendre cette décision?

avec un canot seulement se trouva en état de servir.
C'était trop peu pour contenir environ quatre-vingts nègres
encore vivants. Il fallut abandonner tous les blessés et les
705 malades. La plupart demandèrent qu'on les tuât avant de se
séparer d'eux. (35)

Les deux embarcations, mises à flot avec des peines infinies
et chargées outre mesure, quittèrent le vaisseau par une mer
clapoteuse, qui menaçait à chaque instant de les engloutir. Le
710 canot s'éloigna le premier. Tamango avec Ayché avait pris
place dans la chaloupe, qui beaucoup plus lourde et plus
chargée, demeurait considérablement en arrière. On entendait
encore les cris plaintifs de quelques malheureux abandonnés
à bord du brick, quand une vague assez forte prit la chaloupe
715 en travers et l'emplit d'eau. En moins d'une minute, elle coula.
Le canot vit leur désastre, et ses rameurs doublèrent d'efforts
de peur d'avoir à recueillir quelques naufragés. Presque tous
ceux qui montaient la chaloupe furent noyés. Une douzaine
seulement put regagner le vaisseau. De ce nombre étaient
720 Tamango et Ayché. Quand le soleil se coucha, ils virent dis-
paraître le canot derrière l'horizon; mais ce qu'il devint, on
l'ignore.

Pourquoi fatiguerais-je le lecteur par la description dégoûtante des tortures de la faim? Vingt personnes environ sur un
725 espace étroit, tantôt ballottées par une mer orageuse, tantôt
brûlées par un soleil ardent, se disputent tous les jours les
faibles restes de leurs provisions. Chaque morceau de biscuit
coûte un combat, et le faible meurt, non parce que le fort le
tue, mais parce qu'il le laisse mourir. Au bout de quelques
730 jours, il ne resta plus de vivant à bord du brick l'*Espérance*
que Tamango et Ayché. (36) (37)

──────── **QUESTIONS** ────────

**35.** Commentez le mot *insensé* (ligne 694). — Si odieux que soit
Tamango, n'a-t-il pas droit à une indulgence, que ne méritait pas
Ledoux? — La sobriété de Mérimée dans les lignes 704-706 : peut-elle
provoquer autant d'horreur qu'un long développement?

**36.** Étudiez l'art de Mérimée (lignes 707-731) : la sobriété et la force
de son expression, le choix des détails, l'emploi des temps, le rythme
des phrases.

**37.** SUR L'ENSEMBLE DE LA SECONDE PARTIE DE LA NOUVELLE (lignes 473-
731). — Étudiez l'enchaînement des épisodes.
— La mort de Ledoux : comment complète-t-elle le personnage?
— Tamango dans la victoire et la défaite.
— L'art de Mérimée dans la description des scènes d'horreur et de
désespoir; quelle valeur humaine prennent ces images d'un naufrage?

. . . . . . . . . . . . . . . . . . . . .

Une nuit, la mer était agitée, le vent soufflait avec violence,
et l'obscurité était si grande, que de la poupe[1] on ne pouvait
voir la proue[2] du navire. Ayché était couchée sur un matelas
35 dans la chambre du capitaine, et Tamango était assis à ses
pieds. Tous les deux gardaient le silence depuis longtemps.

« Tamango, s'écria enfin Ayché, tout ce que tu souffres,
tu le souffres à cause de moi...

— Je ne souffre pas », répondit-il brusquement. Et il jeta
40 sur le matelas, à côté de sa femme, la moitié d'un biscuit qui
lui restait.

« Garde-le pour toi, dit-elle en repoussant doucement le
biscuit; je n'ai plus faim. D'ailleurs, pourquoi manger? Mon
heure n'est-elle pas venue? »

45 Tamango se leva sans répondre, monta en chancelant sur
le tillac et s'assit au pied d'un mât rompu. La tête penchée
sur sa poitrine, il sifflait l'air de sa famille. Tout à coup un
grand cri se fit entendre au-dessus du bruit du vent et de la
mer; une lumière parut. Il entendit d'autres cris, et un gros
50 vaisseau noir glissa rapidement auprès du sien; si près, que les
vergues passèrent au-dessus de sa tête. Il ne vit que deux figures
éclairées par une lanterne suspendue à un mât. Ces gens poussèrent encore un cri, et aussitôt leur navire, emporté par le vent,
disparut dans l'obscurité. Sans doute les hommes de garde
55 avaient aperçu le vaisseau naufragé; mais le gros temps les
empêchait de virer de bord. Un instant après, Tamango vit la
flamme d'un canon et entendit le bruit de l'explosion[3]; puis
il vit la flamme d'un autre canon, mais il n'entendit aucun
bruit; puis il ne vit plus rien. Le lendemain, pas une voile ne
60 paraissait à l'horizon. Tamango se recoucha sur son matelas
et ferma les yeux. Sa femme Ayché était morte cette nuit-là. **(38)**

. . . . . . . . . . . . . . . . . . . . .

. . . . . . . . . . . . . . . . . . . . .

---

1. *Poupe* : voir page 79, note 2; 2. *Proue* : partie avant d'un navire; 3. Le navire
inconnu tire le canon, comme c'était l'usage, afin de savoir si l'*Espérance* porte
encore des hommes. L'absence de réponse l'incite à continuer sa route.

───── **QUESTIONS** ─────

**38.** Relevez tous les éléments qui donnent à cet épisode son intensité
pathétique et sa force dramatique : ne dirait-on pas que la nouvelle change
brusquement de ton pour tourner à un « romantisme » agressif ? Comment
peut-on expliquer ce changement? Quelle image nous laisse-t-elle du
couple Tamango-Ayché?

Je ne sais combien de temps après, une frégate anglaise, la *Bellone*, aperçut un bâtiment démâté et en apparence abandonné de son équipage. Une chaloupe, l'ayant abordé, y
765 trouva une négresse morte et un nègre si décharné et si maigre, qu'il ressemblait à une momie. Il était sans connaissance, mais avait encore un souffle de vie. Le chirurgien s'en empara, lui donna des soins, et quand la *Bellone* aborda à Kingston[1], Tamango était en parfaite santé **(39)**. On lui demanda son
770 histoire. Il dit ce qu'il en savait. Les planteurs de l'île voulaient qu'on le pendît comme un nègre rebelle; mais le gouverneur, qui était un homme humain, s'intéressa à lui, trouvant son cas justifiable, puisque, après tout, il n'avait fait qu'user du droit légitime de défense; et puis ceux qu'il avait tués
775 n'étaient que des Français. On le traita comme on traite les nègres pris à bord d'un vaisseau négrier que l'on confisque. On lui donna la liberté, c'est-à-dire qu'on le fit travailler pour le gouvernement; mais il avait six sous par jour et la nourriture. C'était un fort bel homme. Le colonel du 75e le
780 vit et le prit pour en faire un cymbalier dans la musique de son régiment. Il apprit un peu d'anglais; mais il ne parlait guère. En revanche, il buvait avec excès du rhum et du tafia[2]. — Il mourut à l'hôpital d'une inflammation de poitrine. **(40) (41)**

---

1. *Kingston* : capitale de la Jamaïque, située sur la côte méridionale de cette possession britannique des Antilles; 2. *Tafia* : sorte d'eau-de-vie que l'on fait avec les mélasses, les écumes et les gros sirops du sucre de canne.

---

**QUESTIONS**

---

**39.** L'effet de contraste avec l'épisode précédent : quels sont maintenant le ton et le style? L'art du raccourci dans ces phrases.

**40.** L'humour dans cette fin du récit : montrer que chaque phrase met en évidence la cruauté d'un univers où Tamango le Noir n'a droit qu'à un faux-semblant de justice, de liberté et d'éducation.

**41.** SUR L'ENSEMBLE DE « TAMANGO ». — Étudiez l'architecture de la nouvelle : les trois épisodes principaux qui la constituent. Comment l'unité dramatique se trouve-t-elle maintenue? Par quel épisode?

— Les personnages principaux : Tamango, Ledoux. Peut-on distinguer en chacun d'eux ce qui tient à leur condition et ce qui tient à leur caractère? Comment, au cours du récit, évolue le jugement du lecteur sur chacun d'eux?

— Dans quelle mesure Mérimée laisse-t-il transparaître son sentiment sur le commerce des esclaves et, d'une façon plus générale, sur la manière dont les Noirs sont traités et jugés par les Blancs?

# LES ÂMES DU PURGATOIRE
## 1834

## NOTICE

### CE QUI SE PASSAIT EN 1834

■ **EN POLITIQUE. En France :** La loi contre les associations est adoptée le 26 mars. En avril, insurrections républicaines à Paris, à Lyon, à Saint-Étienne. Le jugement de ces insurrections est déféré par le roi à la Chambre des pairs. Dissolution de la Chambre des députés. Nouvelles élections, favorables à la répression contre les républicains. 20 mai : mort de La Fayette.

**En Angleterre :** Premier ministère Peel. Abolition de l'esclavage dans les colonies britanniques. **En Espagne :** L'insurrection carliste se poursuit. Les Cortès déclarent déchus du trône don Carlos et ses descendants. Abolition de l'Inquisition. **Au Portugal :** Bannissement à perpétuité de dom Miguel. **En Russie :** Insurrection du Caucase. **En Grèce :** Insurrections sur divers points du pays. **En Syrie :** Révolte contre Méhémet-Ali, à qui le Sultan a cédé cette province. **En Allemagne :** Entrée en vigueur du premier Zollverein général.

■ **DANS LES SCIENCES ET DANS LES TECHNIQUES. En France :** Naissance du physicien Planté. Ampère commence l'Essai sur la philosophie des sciences.

**A l'étranger. Allemagne :** Naissance des biologistes Haeckel et Weismann. **Russie :** Naissance du chimiste Mendéléiev. **Autriche :** Mort de Senefelder, inventeur de la lithographie.

■ **DANS LES LETTRES ET DANS LES ARTS. En France :** Balzac, la Recherche de l'Absolu, le Père Goriot; V. Hugo, Claude Gueux, Littérature et philosophie mêlées; Lamartine, Des destinées de la poésie (seconde Préface des Premières Méditations); Musset, Fantasio; Lamennais, les Paroles d'un croyant; Edgar Quinet, traduction (faite en 1825) des Idées pour servir à la philosophie de l'histoire de l'humanité, de Herder; Sainte-Beuve, Volupté; George Sand, Jacques; Augustin Thierry, Dix Ans d'études historiques; Alexandre Dumas, Catherine Howard; naissance du peintre Degas; mort du compositeur Boïeldieu; le peintre Paul Delaroche expose la Mort de Jane Grey.

**A l'étranger. Angleterre :** *Carlyle,* Sartor Resartus. *Mort de Coleridge, de Charles Lamb. Naissance du poète et écrivain d'art Morris. Naissance du poète James Thomson; mort de l'orientaliste William Carey, traducteur du Râmâyana.* **Espagne :** *Larra, Macías (drame); le duc de Rivas,* le Maure abandonné *(poème). Naissance du poète Nuñez de Arce.* **Russie :** *Gogol,* Tarass Boulba. *Naissance du compositeur Borodine.* **Pologne :** *Mickiewicz,* Maître Thadée *(poème). Julius Slowacki,* Balladyna. *Mort de Bronikowski.*

## CIRCONSTANCES DE LA PUBLICATION

*Les Ames du purgatoire* parurent pour la première fois dans la *Revue des Deux Mondes* du 15 août 1834. La nouvelle a été ensuite recueillie en volume à la suite de *Colomba,* en 1841. D'autres éditions ont été publiées du vivant de l'auteur, qui a revu, en particulier, celles de 1842, 1846, 1850; c'est cette dernière qui donne le dernier texte revu par l'auteur et qui fait autorité.

Le sujet était à la mode chez les romantiques : leur idole, Byron, avait écrit un poème intitulé *Don Juan,* et Mérimée en avait rendu compte fort élogieusement dans *le National* du 7 mars 1830 et du 3 juin 1830. D'autre part, le *Don Giovanni* de Mozart avait été représenté à de nombreuses reprises en France, dans diverses adaptations. Le chanteur Garcia, l'illustre cantatrice Malibran y avaient connu des triomphes respectivement en 1825 et en 1829. L'œuvre avait été reprise avec un égal succès en 1833 au Théâtre-Italien, puis à l'Opéra. En même temps, le *Don Juan* de Hoffmann séduisait les lecteurs français par son mélange de poésie et de vulgarité. Les écrivains brodent sur le thème : le sujet de *Namouna,* de Musset (1832), c'est essentiellement don Juan, devenu corrupteur candide, brûlé du désir d'un amour sincère, et mourant « pour un être impossible et qui n'existait pas ». Il reprendra le même personnage dans *Une matinée de don Juan* (1833). Le 1er juin 1834, le drame lyrique (moitié en prose, moitié en vers) de Henri Blaze de Bury, *le Souper chez le commandeur,* paraissait dans la *Revue des Deux Mondes* sous le pseudonyme de « Hans Werner ». Cette œuvre étonnante développe le thème de la conversion de don Juan, qui y sauve son amante et se convertit.

Il était donc naturel que Mérimée, revenant d'Espagne, fût séduit par ce sujet.

## LES SOURCES DES « ÂMES DU PURGATOIRE »

Il y a d'abord le regain d'actualité que connaît la légende de don Juan à cette époque. Il y a l'influence de Crébillon fils, de Restif de La Bretonne, de Laclos, de Byron, de Hoffmann, du *Moine de* Lewis. A ces influences qu'il indique, M. Pierre Trahard ajoute celle de *la Duchesse de Langeais* de Balzac[1].

---

1. Pierre Trahard, *la Jeunesse de Mérimée* (tome II, page 336).

Mais il est peu douteux que les sources principales de Mérimée pour cette nouvelle viennent d'Espagne. Pendant son voyage en ce pays, de juillet à décembre 1830, il put apprendre de nombreux faits sur un héros que, peut-être, il désirait mieux connaître déjà auparavant. Il a été renseigné par les récits populaires, par les indications des guides qui faisaient visiter les monuments de Séville, par son hôtesse, la comtesse de Montijo, et sans doute par de nombreux ouvrages qu'il a pu consulter dans les bibliothèques. Il a dû aussi compléter sa documentation, en France même, par les indications fournies par des réfugiés espagnols, qu'il a pu connaître alors qu'il était chef de cabinet au ministère de l'Intérieur. L'essentiel d'un ensemble complexe peut se ramener à trois légendes : *a*) celle de **don Juan Tenorio.** Le personnage qui aurait servi de modèle à Tirso de Molina[1] n'a guère laissé de trace ailleurs que dans la légende même. C'est le Don Juan de Molière ; *b*) celle de **don Miguel de Mañara,** déjà en partie confondue avec la précédente. Mais en la racontant et en donnant à don Miguel le nom de don Juan de Maraña, Mérimée a rendu cette confusion plus complète encore ; *c*) l'histoire de **Lisardo.**

*a*) A la légende de **don Juan Tenorio** (« El Burlador »), Mérimée emprunte surtout le récit du meurtre par don Juan du père d'une jeune fille qu'il vient de séduire.

*b*) **Don Miguel de Mañara** était né du mariage de don Tomas de Mañara y Colona avec doña Jeronima Anfriano y Vicentelo. Il fut baptisé à Séville en 1627. Il eut une jeunesse extrêmement orageuse, remplie de débauches et de crimes. Mais il fut touché par le repentir, se maria, demanda son admission dans la confrérie de la Santa Caridad, dont il devint le « hermano mayor », et consacra sa fortune à l'enrichir. Il fonda aussi l'hôpital Saint-Georges. A sa mort, qui survint le 9 mai 1679, il fut enterré, sur sa demande, sous le portail de l'église, « afin que chacun foulât aux pieds son corps immonde ». Sur sa sépulture fut placée une pierre avec cette inscription : *Aqui yace el peor hombre que fué en el mundo* (« Ci-gît le pire homme qui fut au monde »). On trouve à la Bibliothèque nationale des procès-verbaux imprimés de plusieurs procès de béatification et de canonisation qui furent introduits à Rome après sa mort. On montre toujours son tombeau dans l'hôpital de la Charité à Séville. Maurice Barrès, dans son livre *Du sang, de la volupté et de la mort* (*Une visite à don Juan*), et avant lui Th. Gautier, dans son *Voyage en Espagne* (1843), chapitre XIV, ont raconté leurs visites au couvent de la Caridad et rappelé l'histoire de don Juan de Mañara.

L'histoire de don Miguel a été conservée par le père Juan de Cárdenas, père jésuite qui fut son contemporain, dans la *Breve relación de la muerte, de la vida y virtudes de don Miguel de Mañara*

---

1. Dans *El Burlador de Sevilla y convivado de pietra.*

(Séville, Diego Lopez de Haro, 1680). On trouve un ouvrage récent sur le personnage; c'est celui d'Esther Van Loo : *le Vrai Don Juan. Don Miguel de Mañara* (Paris, Sfelt, 1950). Les traditions orales des Sévillans ont reconstitué l'histoire du début de la vie de don Miguel avec des éléments empruntés à la légende de don Juan Tenorio. D'autres légendes expliquent certaines nouvelles adjonctions à cette histoire. Ainsi, on raconte que don Miguel s'éprit de la statue qui surmonte la Giralda à Séville, et que celle-ci répondit à ses propositions; qu'il demanda un jour du feu à un fumeur qui se promenait sur la rive du Guadalquivir opposée à celle sur laquelle il se trouvait lui-même, et que ce fumeur, qui était le diable, tendit le bras à travers le fleuve pour lui donner le feu qu'il demandait; qu'après avoir pénétré dans la chambre d'une jeune fille, il n'y aperçut qu'un cadavre entouré de quatre cierges; et qu'enfin il assista une nuit dans l'église de Santiago à son propre enterrement. C'est ce dernier fait qu'a principalement retenu Mérimée pour sa nouvelle, et, sur ce point précis, les « sources » exactes de notre auteur peuvent être nombreuses. On cite, outre la *Breve relación*... de Juan de Cárdenas, qui contient cette histoire du libertin que le ciel avertit par le spectacle de ses propres funérailles, le *Jardin de flores curiosas* d'Antonio de Torquemada (1570). Cet ouvrage a été traduit en 1579 par Gabriel Chappuys à Lyon (chez Bérard) sous le titre de *Hexameron ou les Fleurs curieuses* (IIIe journée). C'est au moment où il se propose d'enlever une religieuse que le personnage de Torquemada a cette vision. La même aventure est racontée en vers par Cristobal Bravo, de Cordoue (1572). On la trouve encore dans les *Soledades de la Vida y desengaños del Mundo* de don Gaspar Lozano (1663). Le personnage se trouve appelé ici « Lisardo », et la religieuse, Teodora.

c) Cette histoire de **Lisardo** se retrouve dans deux *romances*[1] (Duran, *Romancero General*, I, pp. 264-268) intitulés *Lisardo el estudiante de Cordoba*. Ce Lisardo est épris de la sœur d'un de ses camarades, doña Teodora. Elle lui déclare qu'elle ne peut pas l'épouser, car elle doit se faire religieuse. Lisardo obéit d'abord, mais, malgré l'avertissement d'un mystérieux fantôme qui l'invite à réparer ses fautes, il va plusieurs fois voir Teodora en son couvent; celle-ci s'offre à lui s'il consent à l'enlever. On convient d'une nuit. Lisardo se dirige à l'heure dite vers le lieu du rendez-vous, quand il rencontre un cortège funèbre. Il s'informe du nom du défunt, à plusieurs reprises, et, à chaque fois, on lui répond : « C'est Lisardo, l'étudiant. » Finalement, l'officiant lui donne un soufflet et lui dit : « Chevalier, tous ceux que tu vois là sont les âmes du purgatoire que Lisardo a secourues par ses prières et ses offrandes; elles viennent prier Dieu pour son âme qui est en grand péril. » Les lumières alors s'éteignent, et l'étudiant s'évanouit. Quand il revient

---

1. *Romance* : voir page 100, note 1.

à lui, il fait part à Teodora de sa vision, l'invite à ne vivre que pour Dieu, et lui-même se retire loin du monde pour faire pénitence.

Les mêmes données se retrouvent encore dans une pièce de Lope de Vega : *El Vaso de elección*.

Il faudrait ajouter à ces trois catégories d'emprunts d'autres sources, présumées ou certaines, auxquelles Mérimée a pu puiser pour sa nouvelle.

On a cru que l'idée d'un duel soutenu malgré lui par don Juan converti était tirée de la pièce d'Angel de Saavedra, duc de Rivas : *Don Alvaro o la fuerza del sino*. Outre le fait que cette pièce n'a été représentée à Madrid que le 22 mars 1835 (mais Mérimée connaissait le duc de Rivas, réfugié en France en 1833, et la pièce aurait pu être écrite dès lors), cette hypothèse est réfutée par une lettre de Mérimée à Cueto, marquis de Valmar (1er février 1866) à ce sujet : « Le duel du moine avec le frère de la femme séduite a été pris par moi dans de vieux mémoires. L'aventure a eu lieu en France, et, si je ne me trompe, dans l'enclos des Chartreux à Paris : c'est le Luxembourg actuel. Si j'étais à Paris, je pourrais vous indiquer le nom du lieu. »

Les scènes de la vie d'étudiant de don Juan, le personnage de don Garcia ont leur origine dans diverses nouvelles ou romans picaresques espagnols.

Ainsi, la plupart des éléments de la nouvelle de Mérimée ont leur origine dans de multiples récits historiques ou légendaires, écrits ou oraux (une preuve de l'importance des sources orales de Mérimée est la transformation du nom du personnage qui, de Mañara dans l'histoire, devient Maraña dans *les Ames du purgatoire* : cette métathèse est un fait banal de la langue parlée).

## L'ART DE MÉRIMÉE
## DANS « LES ÂMES DU PURGATOIRE »

Ainsi que le note P. G. Castex[1], « le vrai mérite de Mérimée consiste dans l'organisation dramatique des éléments qu'il a empruntés ». Si de nombreux critiques se sont montrés sévères pour certaines longueurs (voir les Jugements), en revanche P. G. Castex et P. Trahard ont su rendre justice à l'originalité et à la force de l'art de Mérimée dans la nouvelle.

### LA COULEUR HISTORIQUE

Dans *les Ames du purgatoire*, Mérimée a su recréer l'atmosphère de l'ancienne Espagne. Ici encore, les moyens sont parfois un peu faciles. On pourrait croire que l'auteur s'attache à utiliser les traits les plus traditionnels pour caractériser l'Espagne : l'austère piété de la mère du héros n'a d'égal que le « sens de l'honneur » de son père; dans le récit de la vie de don Juan à Salamanque, que

---

1. Pierre Georges Castex, *le Conte fantastique en France* (J. Corti, 1951, chapitre IV : *Mérimée et son art*, pages 259-263).

de sérénades, de jalousies, d'échelles de soie, de rendez-vous dans des églises ou nocturnes, de duels, de meurtres, d'enlèvements, de mantilles... La procession de pénitents prend, elle aussi, dans ce contexte, un aspect un peu trop « pittoresque ». Il faudrait ajouter à ce tableau tous les traits qui peignent avec insistance les manifestations extérieures de la piété ou les superstitions populaires. La peinture de la vie militaire, lorsque l'auteur raconte la vie de son héros en Flandre, présente des caractères qui s'accordent avec le caractère violent et coloré des premiers tableaux. Les faits et gestes du capitaine Gomare, son langage, ne sont pas sans rappeler ceux des héros de *l'Enlèvement de la redoute,* mais Mérimée insiste surtout ici sur le goût du jeu, des femmes et du vin. Il faut noter combien la progression dans les effets est nette : don Juan a une vie d'étudiant de plus en plus mouvementée, don Juan mène à l'armée une existence de plus en plus impie et scandaleuse; c'est au moment où il se prépare à mettre un comble à ses impiétés en enlevant une religieuse qu'il a la vision qui va provoquer sa conversion. « Cette ordonnance classique, mais hardie dans sa conception même et son exécution, emprunte une certaine grandeur tragique aux *autos sacramentales* dont Mérimée s'inspire. La foi espagnole [...] aide à comprendre l'étrange mentalité du criminel capable, après les pires excès, de revenir au Dieu de son enfance », écrit P. Trahard[1]. Ainsi, la couleur espagnole est-elle à rechercher avant tout dans la peinture des personnages, de leurs sentiments et de leurs passions, c'est-à-dire dans tout ce qui intéresse avant tout Mérimée dans toutes ses nouvelles. Cet intérêt pour les passions violentes et les personnalités d'exception trouve avec *les Ames du purgatoire* un cadre parfait avec l'Espagne. C'est qu'entre les nouvelles de 1829 et celle-ci Mérimée a fait connaissance de la Péninsule. L'Espagne de ce conte, cependant, si elle présente les traits caractéristiques de ce qu'on voudrait pouvoir appeler l' « Espagne éternelle », c'est l'Espagne des XVIe-XVIIe siècles, celle de Cervantès et de Lope de Vega. Il est pourtant assez difficile de localiser dans le temps avec précision l'action de la nouvelle. L'auteur nous dit que le père de son héros participa à la répression de la révolte des morisques (dans les vallées des Alpuxarres ou *Alpujarras*). Cela nous place au plus tard en 1570 (révolte de Aben-Humeya : ce fut la dernière). Don Carlos (le don Tomas de l'histoire) avait au moins seize ans. Or, son fils est né en 1627 : avait-il donc soixante-treize ans? Pour don Juan lui-même, les données de la nouvelle semblent elles aussi peu conciliables avec celles de l'histoire. Don Juan commence sa vie d'étudiant à Salamanque à dix-huit ans. Or, le personnage historique, né en 1627, a en 1645 commis la plupart de ses mauvaises actions, et se marie en 1648. D'autre part, de quelle prise de Berg-op-Zoom s'agit-il dans la nouvelle? De celle de 1622,

---

1. Pierre Trahard, *la Jeunesse de Mérimée* (tome II, pages 344-346).

la plus illustre? L'audace serait grande. M^me Esther Van Loo la place en 1644 (guerre entre les Pays-Bas espagnols avec les Provinces-Unies). Mais Miguel de Mañara aurait eu alors dix-sept ans : c'est bien peu pour un personnage qui a déjà tant fait de choses. Que conclure, sinon que Mérimée ne s'est pas soucié d'histoire exacte (du reste les données précises sur la jeunesse de don Miguel sont très rares). Il s'attache seulement à une vraisemblance superficielle et à des faits illustres, pour créer la couleur historique et la « crédibilité ».

## LES PERSONNAGES

L'intérêt psychologique de cette nouvelle est évident. Un personnage secondaire comme le **capitaine Gomare** suffirait à le montrer. Ce soldat courageux et que les soucis religieux n'ont guère préoccupé dans sa vie (comme Ledoux, ou les héros de *l'Enlèvement de la redoute*) prend un relief saisissant au moment de mourir : « Il est dur pourtant de mourir sans confession », dit-il sobrement. Il est d'autant plus curieux que c'est un personnage créé par Mérimée, qui donne à son fantôme, ou à son souvenir, un rôle important dans la conversion de don Juan. Une autre création de Mérimée, fort intéressante, est le personnage de **don Garcia.** Est-il un suppôt du diable? Certains traits le font penser. Il est en tout cas le mauvais génie de don Juan. Il est inquiétant dès sa deuxième apparition, fort étrange, dans une galerie de l'Université, au moment même où l'on met don Juan en garde contre lui : ne dit-on pas que, pour le sauver, son père l'a vendu au diable? Son absence totale de scrupules se fait de plus en plus évidente. C'est lui qui pousse don Juan à répudier les principes que sa mère lui avait inculqués, qui le tire des plus mauvais pas — rien ne lui résiste —, qui prononce les plus scandaleuses impiétés en présence d'un mourant, qui pousse don Juan à jouer l'argent destiné à faire dire des messes pour Gomare...

L'habileté de Mérimée dans la peinture de ce personnage est double. D'une part, cette peinture permet sans cesse au lecteur d'hésiter entre la conception d'un être simplement humain et pervers et celle d'un agent du diable. D'autre part, elle souligne la progression de don Juan dans le mal. L'importance de don Garcia est donc considérable pour l'interprétation qu'il convient de donner au personnage central de la nouvelle, donc à la nouvelle tout entière.

Qui est **don Juan**? Que signifie sa conversion? Est-elle une mutation de tout l'être, ou un retour à sa vraie nature? Malgré le nécessaire mystère que l'auteur laisse planer sur le fond du cœur du personnage, la réponse est peu douteuse : don Juan a reçu une éducation pieuse; l'influence de don Garcia l'entraînera bien loin dans le crime et le vice, mais au plus profond de lui-même le personnage reste ce qu'il était dans son enfance. Par endroits, on le voit hésiter ou éprouver des remords, et c'est don Garcia qui le pousse dans le chemin du péché.

Certes, l'influence de ce mauvais génie se fera sentir même après sa mort — que ne suit pas immédiatement, il s'en faut, la conversion de don Juan —, puisque c'est lui qui a enseigné à don Juan à mépriser suffisamment et la religion et les femmes pour ne pas hésiter à séduire une religieuse : au surplus, celle-ci n'est autre que doña Teresa, sa première conquête, la première victime de l'influence de don Garcia. Cependant, c'est bien la mort de ce dernier qui rend possible la seconde évolution de don Juan : celle qui le ramène à la foi de son enfance et au bien. En somme, le personnage nous apparaît comme un homme influençable, qu'une mauvaise fréquentation éloigne de la vertu, mais qu'une vision fantastique y ramène. C'est ainsi du moins que, d'un point de vue profane, on peut considérer don Juan. Mais rien ne s'oppose, en même temps, à ce qu'on juge le personnage d'un point de vue chrétien. Don Juan est le type du pécheur que le repentir rachète, et P. Trahard peut écrire : « La foi illumine les dernières pages de la nouvelle; et c'est peut-être en faisant taire ses idées et ses préférences personnelles que Mérimée atteint le meilleur élément de la couleur locale, c'est-à-dire la vérité des caractères. » (*La Jeunesse de Mérimée*, p. 353.)

## LE FANTASTIQUE

Ce double aspect du personnage (signe qu'une vérité humaine, dans laquelle psychologues et théologiens se retrouvent, a été atteinte. Dit-on de Polyeucte qu'il est ambigu ?) est comparable à l'ambiguïté des passages fantastiques de la nouvelle. Qu'on pense, par exemple, à l'épisode essentiel, celui qui nous montre don Juan devant le spectacle de ses propres funérailles. Avec quel art Mérimée fait-il passer sous nos yeux, pour ainsi dire, son personnage de l'état de veille à celui de l'hallucination! Don Juan est surpris par la réponse du premier pénitent, mais il se reprend; la première confirmation, puis la seconde qu'il reçoit lui assurent que c'est bien lui qu'on enterre, l'inquiètent, puis le bouleversent; le voilà éperdu; mais une vision horrible et sanglante va accompagner les paroles du prêtre, qui l'avertit solennellement; à bout de nerfs, il tombe évanoui. Le mélange des détails fantastiques et des détails réels est un moyen très sûr pour faire admettre le surnaturel, surtout quand ce mélange est, comme ici, habilement dosé et progressif.

« Mais en outre, dit P. G. Castex[1], si habile a été la conduite du récit, que nous hésitons à l'interpréter. Mérimée a tout fait pour nous placer dans l'incertitude, ou, si l'on veut, pour nous permettre de choisir l'explication la mieux adaptée à nos croyances et à notre tempérament. L'aventure de don Juan n'est

---

1. *Le Conte fantastique en France*, page 263.

pas expressément décrite comme un rêve ou comme une hallucination : nous sommes parfaitement libres de l'expliquer par un miracle. Répugnons-nous cependant à une justification surnaturelle ? Reprenons alors notre lecture : nous découvrirons des éléments qui peuvent satisfaire un esprit positif. Don Juan n'était pas dans son état normal lorsque s'offrit à lui cette vision de l'au-delà. Quarante-huit heures auparavant, il avait éprouvé quelque trouble à contempler dans la pénombre de sa chambre un tableau hérité de sa mère où se trouvaient, figurés avec un réalisme cruel, les tourments du purgatoire; une fois les lumières éteintes, il n'avait pu dormir; la nuit suivante n'avait pas été meilleure; et malgré ses insomnies successives, il lui avait fallu affronter la fatigue d'une longue chevauchée en plein midi, sous un soleil torride. N'était-il pas, au cours de la nuit tragique, dans cet état de moindre résistance qui expose les sens de l'homme aux illusions ? Sa vision, du reste, se compose d'éléments dont la présence peut s'expliquer par le souvenir confus du tableau récemment contemplé ou des aventures récemment vécues. Un psychiatre retrouverait à coup sûr dans ces correspondances la loi permanente qui préside à la naissance des vertiges mentaux; encore devrait-il échapper à l'envoûtement d'une histoire que l'impassible autorité du conteur a su rendre extraordinairement suggestive. »

## L'INFLUENCE DES « ÂMES DU PURGATOIRE »

Désormais, la plupart des écrivains traitant la légende de don Juan adopteront les données de Mérimée et réuniront les deux traditions : celle de don Miguel de Mañara, dont notre auteur a fait à tout jamais don Juan de Maraña, et celle de don Juan Tenorio. Ainsi, Alexandre Dumas, deux ans plus tard, fera représenter un *Don Juan de Maraña ou la Chute d'un ange*, mystère en 5 actes et 7 tableaux. Et don Juan revient en Espagne, où est représenté en 1844 à Madrid le *Don Juan Tenorio* de Jose Zorrilla y Moral, qui suit d'assez près le drame de Dumas et la nouvelle de Mérimée. C'est, pour cette dernière, comme une consécration.

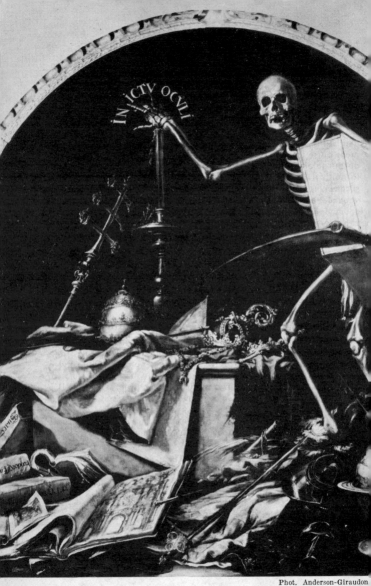

IN ICTV OCVLI

Phot. Anderson-Giraudon

La Mort entourée des emblèmes de la vanité humaine.

Tableau de Valdés Leal à l'hôpital de la Charité, à Séville, où se trouve la sépulture de don Miguel de Mañara.

# LES ÂMES DU PURGATOIRE

Cicéron dit quelque part, c'est, je crois, dans son traité *De la nature des dieux*[1], qu'il y a eu plusieurs Jupiters — un Jupiter en Crète, un autre à Olympie, un autre ailleurs —, si bien qu'il n'y a pas une ville de Grèce un peu célèbre qui n'ait eu
5 son Jupiter à elle. De tous ces Jupiters on en a fait un seul à qui l'on a attribué toutes les aventures de chacun de ses homonymes. C'est ce qui explique la prodigieuse quantité de bonnes fortunes qu'on prête à ce dieu.

La même confusion est arrivée à l'égard de don Juan, per-
10 sonnage qui approche de bien près de la célébrité de Jupiter. Séville seule a possédé plusieurs don Juans; mainte autre ville cite le sien. Chacun avait autrefois sa légende séparée. Avec le temps, toutes se sont fondues en une seule.

Pourtant, en y regardant de près, il est facile de faire la part
15 de chacun, ou du moins de distinguer deux de ces héros, savoir : don Juan Tenorio, qui, comme chacun sait, a été emporté par une statue de pierre[2]; et don Juan de Maraña[3], dont la fin a été toute différente.

On conte de la même manière la vie de l'un et de l'autre :
20 le dénouement seul les distingue. Il y en a pour tous les goûts, comme dans les pièces de Ducis, qui finissent bien ou mal, suivant la sensibilité des lecteurs[4].

Quant à la vérité de cette histoire ou de ces deux histoires, elle est incontestable, et on offenserait grandement le patrio-
25 tisme provincial des Sévillans si l'on révoquait en doute l'existence de ces garnements qui ont rendu suspecte la généalogie

---

**1.** Cicéron, *De natura deorum*, III, 21; **2.** Tirso de Molina a, le premier, raconté la légende de don Juan Tenorio dans *El Burlador de Sevilla y convivado de pietra (le Trompeur de Séville et le convive de pierre)* ; après bien d'autres écrivains, Molière s'empara du personnage dans son *Dom Juan ou le Festin de pierre* (1665), où (acte V, scène VI) on voit la statue du commandeur emmener Dom Juan aux Enfers; **3.** Il s'agit en fait de don Miguel (non *don Juan*) de Mañara (et non *Maraña*). [Voir Notice, page 89]; **4.** Le poète et dramaturge français *Jean-François Ducis* (1733-1816) essaya d'adapter le théâtre de Shakespeare à la scène française. On rapporte que, pour son adaptation d'*Othello*, il fabriqua deux dénouements, l'un se rapprochant de celui de l'original anglais, l'autre « adouci ».

de leurs plus nobles familles. On montre aux étrangers la maison
de don Juan Tenorio, et tout homme, ami des arts, n'a pu
passer à Séville sans visiter l'église de la Charité. Il y aura vu
30 le tombeau[1] du chevalier de Maraña avec cette inscription
dictée par son humilité ou si l'on veut par son orgueil : *Aqui
yace el peor hombre que fué en el mundo*[2]. Le moyen de douter
après cela (1)? Il est vrai qu'après vous avoir conduit à ces deux
monuments, votre cicerone[3] vous racontera encore comment
35 don Juan (on ne sait lequel) fit des propositions étranges à la
Giralda[4], cette figure de bronze qui surmonte la tour moresque
de la cathédrale, et comment la Giralda les accepta, — comment
don Juan, se promenant, chaud de vin[5], sur la rive gauche
du Guadalquivir[6], demanda du feu à un homme qui passait
40 sur la rive droite en fumant un cigare, et comment le bras du
fumeur (qui n'était autre que le diable en personne) s'allon-
gea tant et tant qu'il traversa le fleuve et vint présenter son
cigare à don Juan, lequel alluma le sien sans sourciller et sans
profiter de l'avertissement, tant il était endurci...[7]
45    J'ai tâché de faire à chaque don Juan la part qui lui revient
dans leur fond commun de méchancetés et crimes. Faute
de meilleure méthode, je me suis appliqué à ne conter de don
Juan de Maraña, mon héros, que des aventures qui n'appar-
tinssent pas par droit de prescription à don Juan Tenorio,

---

1. Miguel de Mañara repose au pied du maître-autel de la chapelle de l'hôpital
de la Caridad (c'est cette chapelle que Mérimée appelle l'« église de la Charité »).
Outre ce monument, l'édifice contient des toiles célèbres de Murillo et de Valdés
Leal. L'hôpital a été construit en 1661 et 1664 aux frais de Miguel de Mañara, qui,
après une jeunesse agitée, entra dans la confrérie de la Charité, dont le but était
de recueillir et d'ensevelir les cadavres des suppliciés; 2. « Ici gît le pire homme qui
fut au monde » (note de Mérimée); 3. *Cicerone :* guide (mot emprunté à l'italien et
qui a pour origine le nom du célèbre orateur latin); 4. *La Giralda* est le nom qu'on
donne à Séville à la tour de la cathédrale. C'est un ancien minaret almohade, et le
plus ancien monument de Séville. La statue qui se trouve à son sommet représente
la Foi; elle tourne sur elle-même et sert de girouette *(el giraldillo),* d'où le nom donné
à la tour; 5. *Chaud de vin.* L'expression est dans *la Princesse de Babylone* de Voltaire,
qui l'explique : « Chaud de vin, pour ne pas dire ivre... »; 6. *Guadalquivir :* un des
plus grands fleuves de l'Espagne. Il arrose Cordoue et Séville et se jette dans l'océan
Atlantique; 7. Cette légende est aussi rapportée par Alexandre Dumas dans ses
*Impressions de voyage* (tome II, page 231). Elle est d'origine populaire.

---

### ━━━ QUESTIONS ━━━

1. Quel est le ton général de cette page? Analysez la façon dont l'auteur utilise l'érudition en l'allégeant par de nombreux traits d'ironie. —
Distinguez les différents procédés qui expriment cette ironie.

50 si connu parmi nous par les chefs-d'œuvre de Molière et de
Mozart[1]. (2)

*[ L'Enfance de don Juan.]*[2]

Le comte don Carlos de Maraña[3] était l'un des seigneurs
les plus riches et les plus considérés qu'il y eût à Séville. Sa
naissance était illustre, et, dans la guerre contre les Morisques[4]
révoltés, il avait prouvé qu'il n'avait pas dégénéré du courage
5 de ses aïeux. Après la soumission des Alpuxarres[5], il revint
à Séville avec une balafre sur le front et grand nombre d'enfants
pris sur les infidèles, qu'il prit soin de faire baptiser et qu'il
vendit avantageusement dans des maisons chrétiennes. Ses blessures, qui ne le défiguraient point, ne l'empêchèrent pas de
10 plaire à une demoiselle de bonne maison, qui lui donna la
préférence sur un grand nombre de prétendants à sa main.
De ce mariage naquirent plusieurs filles, dont les unes se
marièrent par la suite, et les autres entrèrent en religion. Don
Carlos de Maraña se désespérait de n'avoir pas d'héritier de
15 son nom, lorsque la naissance d'un fils vint le combler de
joie et lui fit espérer que son antique majorat[6] ne passerait
pas à une ligne collatérale. (3)

Don Juan, ce fils tant désiré, et le héros de cette véridique
histoire, fut gâté par son père et par sa mère, comme devait
20 l'être l'unique héritier d'un grand nom et d'une grande fortune. Tout enfant, il était maître à peu près absolu de ses

1. Sur *Molière*, voir page 97, note 2. L'œuvre de *Mozart* à laquelle Mérimée fait
allusion, *Don Giovanni*, est l'opéra en deux actes que le compositeur donna en 1787.
Il avait été représenté en France avec un vif succès en 1825 et en 1829 (avec la Malibran); 2. Les sous-titres entre crochets ont été ajoutés pour la commodité de
l'utilisation de cette édition; 3. En fait, le père de don Miguel s'appelait don Tomas
de Mañara y Colona. Il mourut le 29 avril 1648. (Voir Notice, page 89); 4. *Morisques* :
musulmans d'Espagne convertis au catholicisme au début du XVIᵉ siècle; 5. Il s'agit
de la dernière révolte des Maures d'Espagne, qui s'étaient réfugiés, après la chute
de Grenade en 1492, dans les hautes vallées de la sierra Nevada, appelées *Alpujarras*.
Cette révolte éclata en 1568 et fut maîtrisée en 1571; 6. *Majorat* : ensemble de
biens inaliénables, attachés à la possession d'un titre de noblesse, et transmis par le
père au fils aîné.

─────── **QUESTIONS** ───────

2. Dans quelle mesure les lignes 33-44 contribuent-elles à détruire
l'impression produite par les lignes 23-33? Quelle influence ces consi-
dérations peuvent-elles avoir sur le climat dans lequel s'engage le récit?

3. Caractérisez le ton sur lequel commence le récit. Relevez les procédés qui rappellent l'ironie voltairienne.

actions, et dans le palais de son père personne n'aurait eu la
hardiesse de le contrarier. Seulement, sa mère voulait qu'il fût
dévot comme elle, son père voulait que son fils fût brave comme
25 lui. Celle-ci, à force de caresses et de friandises, obligeait
l'enfant à apprendre les litanies, les rosaires, enfin toutes les
prières obligatoires et non obligatoires. Elle l'endormait en
lui lisant la légende. D'un autre côté, le père apprenait à son
fils les romances[1] du Cid[2] et de Bernard del Carpio[3], lui
30 contait la révolte des Morisques, et l'encourageait à s'exercer
toute la journée à lancer le javelot, à tirer de l'arbalète ou
même de l'arquebuse contre un mannequin vêtu en Maure
qu'il avait fait fabriquer au bout de son jardin. (4)

Il y avait dans l'oratoire de la comtesse de Maraña un tableau
35 dans le style dur et sec de Moralès[4], qui représentait les tourments du purgatoire. Tous les genres de supplices dont le
peintre avait pu s'aviser s'y trouvaient représentés avec tant
d'exactitude, que le tortionnaire de l'Inquisition n'y aurait
rien trouvé à reprendre. Les âmes en purgatoire étaient dans
40 une espèce de grande caverne au haut de laquelle on voyait
un soupirail. Placé sur le bord de cette ouverture, un ange
tendait la main à une âme qui sortait du séjour de douleurs,
tandis qu'à côté de lui un homme âgé, tenant un chapelet dans
ses mains jointes, paraissait prier avec beaucoup de ferveur.

---

1. *Romance* (masculin en ce sens, c'est un mot espagnol) : poème formé d'une
suite de vers octosyllabiques en nombre indéterminé et disposés de telle sorte que
les vers pairs sont assonants et les impairs libres. Les recueils de *romances*, ou *roman-
ceros*, les plus célèbres sont ceux qui rapportent les exploits du Cid ; 2. Rodrigo ou
Ruy Diaz de Bivar dit *le Cid Campeador :* personnage mi-historique, mi-légendaire,
qui vécut d'environ 1030 à 1099 et combattit les Maures au service des rois don
Sanche, puis Alphonse VI de Castille. Héros de maints poèmes du *romancero* espagnol et des pièces de Guillén de Castro et de Corneille ; 3. *Bernard del Carpio :*
autre héros du *romancero* ; type de chevalier irréprochable que Cervantès raille dans
son *Don Quichotte ;* 4. *Luis de Morales :* peintre espagnol (1509-1586), auteur de
tableaux religieux.

---

**QUESTIONS**

4. La composition « géométrique » de ce paragraphe (lignes 18-33) :
comment met-elle en relief les trois éléments essentiels qui ont contribué
à l'éducation du héros? — Quelle contradiction y a-t-il dans cette méthode
d'éducation? Peut-on en prévoir les résultats? — La couleur espagnole
dans ce passage : quels aspects traditionnels des mœurs espagnoles sont
exploités ici? Ne peut-on déceler une intention parodique dans ces images
de l'Espagne?

45 Cet homme, c'était le donataire du tableau, qui l'avait fait
faire pour une église de Huesca[1]. Dans leur révolte, les Morisques
mirent le feu à la ville; l'église fut détruite; mais, par miracle,
le tableau fut conservé. Le comte de Maraña l'avait rapporté
et en avait décoré l'oratoire de sa femme. D'ordinaire, le petit
50 Juan, toutes les fois qu'il entrait chez sa mère, demeurait longtemps immobile en contemplation devant ce tableau, qui
l'effrayait et le captivait à la fois. Surtout il ne pouvait détacher ses yeux d'un homme dont un serpent paraissait ronger
les entrailles pendant qu'il était suspendu au-dessus d'un bra-
55 sier ardent au moyen d'hameçons de fer qui l'accrochaient
par les côtes. Tournant les yeux avec anxiété du côté du soupirail, le patient semblait demander au donataire des prières
qui l'arrachassent à tant de souffrances **(5)**. La comtesse ne
manquait jamais d'expliquer à son fils que ce malheureux
60 subissait ce supplice parce qu'il n'avait pas bien su son caté-
chisme, parce qu'il s'était moqué d'un prêtre, ou qu'il avait
été distrait à l'église. L'âme qui s'envolait vers le paradis,
c'était l'âme d'un parent de la famille de Maraña, qui avait
sans doute quelques peccadilles à se reprocher; mais le comte
65 de Maraña avait prié pour lui, il avait beaucoup donné au
clergé pour le racheter du feu et des tourments, et il avait eu
la satisfaction d'envoyer au paradis l'âme de son parent sans
lui laisser le temps de beaucoup s'ennuyer en purgatoire.

« Pourtant, Juanito, ajoutait la comtesse, je souffrirai peut-
70 être un jour comme cela, et je resterai des millions d'années
en purgatoire si tu ne pensais pas à faire dire des messes pour
m'en tirer! Comme il serait mal de laisser dans la peine la
mère qui t'a nourri! »

Alors l'enfant pleurait; et s'il avait quelques réaux[2] dans
75 sa poche, il s'empressait de les donner au premier quêteur

---

1. *Huesca* : ville d'Espagne. Elle est située en Aragon, entre l'Ebre et les Pyrénées;
2. *Réal* : petite monnaie espagnole.

─────── **QUESTIONS** ───────

**5.** La description du tableau : la précision des détails et l'impression
de réalisme qui s'en dégage. — Est-ce cependant une œuvre d'art réellement existante? A partir de quels éléments l'imagination de l'écrivain
a-t-elle créé ce tableau? Montrez la valeur symbolique des détails de
cette œuvre, de son histoire, de son influence. — L'effet produit par ce
tableau sur l'enfant est-il vraisemblable au point de vue psychologique?

qu'il rencontrait porteur d'une tirelire pour les âmes du
purgatoire. (6)

S'il entrait dans le cabinet de son père, il voyait des cui-
rasses faussées par des balles d'arquebuses, un casque que le
80 comte de Maraña portait à l'assaut d'Alméria[1], et qui gardait
l'empreinte du tranchant d'une hache musulmane; des lances,
des sabres mauresques, des étendards pris sur les infidèles,
décoraient cet appartement.

« Ce cimeterre[2], disait le comte, je l'ai enlevé au cadi[3] de
85 Vejer, qui m'en frappa trois fois avant que je lui ôtasse la vie.
— Cet étendard était porté par les rebelles de la montagne
d'Elvire. Ils venaient de saccager un village chrétien : j'accourus
avec vingt cavaliers. Quatre fois j'essayai de pénétrer au milieu
de leur bataillon pour enlever cet étendard; quatre fois je fus
90 repoussé. A la cinquième, je fis le signe de la croix; je criai :
« Saint Jacques! » et j'enfonçai les rangs de ces païens. — Et
vois-tu ce calice d'or que je porte dans mes armes? Un alfaqui[4]
des Morisques l'avait volé dans une église, où il avait commis
mille horreurs. Ses chevaux avaient mangé de l'orge sur l'autel,
95 et ses soldats avaient dispersé les ossements des saints. L'alfaqui se servait de ce calice pour boire du sorbet à la neige. Je
le surpris dans sa tente comme il portait à ses lèvres le vase
sacré. Avant qu'il eût dit : « Allah! » pendant que le breuvage
était encore dans sa gorge, de cette bonne épée je frappai la
100 tête rasée de ce chien, et la lame y entra jusqu'aux dents.
Pour rappeler cette sainte vengeance, le roi m'a permis de
porter un calice d'or dans mes armes. Je te dis cela, Juanito,
pour que tu le racontes à tes enfants et qu'ils sachent pourquoi tes armes ne sont pas exactement celles de ton grand-père,
105 don Diego, que tu vois peintes au-dessous de son portrait. »

Partagé entre la guerre et la dévotion, l'enfant passait ses
journées à fabriquer des petites croix avec des lattes, ou bien,

---

1. *Alméria* : ville d'Espagne sur le bord de la Méditerranée, en Andalousie. Elle
fit donc longtemps partie du royaume maure de Grenade, et fut le théâtre de révoltes
des morisques contre leurs maîtres espagnols, après la chute de ce royaume; 2. *Cimeterre* : sabre large et recourbé des Orientaux; 3. *Cadi* : chez les musulmans, juge
particulièrement chargé des affaires qui concernent le droit religieux et les affaires
privées. Le terme rappelle, surtout ici, la survivance des termes arabes, même après
la disparition du royaume de Grenade; 4. *Alfaqui* : chef militaire.

──────── QUESTIONS ────────

6. La signification du tableau selon la mère de don Juan; la manière
dont elle l'interprète prouve-t-elle seulement qu'elle veut mettre à la
portée de l'enfant le sujet représenté? Comment l'ironie de l'auteur
s'exerce-t-elle aux dépens d'une certaine dévotion?

armé d'un sabre de bois, à s'escrimer dans le potager contre des citrouilles de Rota[1], dont la forme ressemblait beaucoup, suivant lui, à des têtes de Maures couvertes de leurs turbans. (7)

A dix-huit ans, don Juan expliquait assez mal le latin, servait fort bien la messe, et maniait la rapière, ou l'épée à deux mains, mieux que ne faisait le Cid. Son père, jugeant qu'un gentilhomme de la maison de Maraña devait encore acquérir d'autres talents, résolut de l'envoyer à Salamanque. Les apprêts du voyage furent bientôt faits. Sa mère lui donna force chapelets, scapulaires[2] et médailles bénites. Elle lui apprit aussi plusieurs oraisons d'un grand secours dans une foule de circonstances de la vie. Don Carlos lui donna une épée dont la poignée, damasquinée[3] d'argent, était ornée des armes de sa famille; il lui dit :

« Jusqu'à présent, tu n'as vécu qu'avec des enfants; tu vas maintenant vivre avec des hommes. Souviens-toi que le bien le plus précieux d'un gentilhomme, c'est son honneur; et ton honneur, c'est celui des Maraña. Périsse le dernier rejeton de notre maison plutôt qu'une tache soit faite à son honneur! Prends cette épée; elle te défendra si l'on t'attaque. Ne sois jamais le premier à la tirer; mais rappelle-toi que tes ancêtres n'ont jamais remis la leur dans le fourreau que lorsqu'ils étaient vainqueurs et vengés. »

Ainsi muni d'armes spirituelles et temporelles, le descendant des Maraña monta à cheval et quitta la demeure de ses pères. (8)

---

1. *Rota* : port d'Espagne, au nord de Cadix; cultures maraîchères; 2. *Scapulaire* : sorte de sachet d'étoffe, pouvant contenir des reliques ou simplement orné d'images pieuses, que l'on porte attaché au cou; 3. Une épée *damasquinée* est une épée incrustée de petits filets d'or ou d'argent.

--- **QUESTIONS** ---

7. Le parallélisme dans la présentation des deux influences qui s'exercent sur don Juan : celle de son père (la bravoure) et celle de sa mère (la piété); le contraste entre les deux langages. L'ironie de l'auteur ne s'exerce-t-elle pas de la même façon à l'égard d'une certaine forme de bravoure qu'à l'égard d'une certaine forme de dévotion?

8. Sur l'ensemble de l'épisode intitulé « l'Enfance de don Juan ». — Les éléments conventionnels dans le récit de l'enfance de don Juan et dans la présentation du caractère espagnol.
— Dans tout ce début, étudiez l'ironie de Mérimée. Contre quoi, contre qui s'exerce-t-elle principalement? Montrez que la complicité ainsi créée entre l'auteur et le lecteur sera utilisée ensuite par Mérimée pour nous entraîner dans une voie toute différente. — Les conséquences de l'éducation de don Juan. — Que manque-t-il, selon vous, à celle-ci?

*[ Un étrange étudiant.]*

L'université de Salamanque[1] était alors dans toute sa gloire. Ses étudiants n'avaient jamais été plus nombreux, ses professeurs plus doctes ; mais aussi jamais les bourgeois n'avaient eu tant à souffrir des insolences de la jeunesse indisciplinable, qui demeurait, ou plutôt régnait dans leur ville. Les sérénades, les charivaris, toute espèce de tapage nocturne, tel était leur train de vie ordinaire, dont la monotonie était de temps en temps diversifiée par des enlèvements de femmes ou de filles, par des vols ou des bastonnades. Don Juan, arrivé à Salamanque, passa quelques jours à remettre des lettres de recommandation aux amis de son père, à visiter ses professeurs, à parcourir les églises, et à se faire montrer les reliques qu'elles renfermaient. D'après la volonté de son père, il remit à un des professeurs une somme assez considérable pour être distribuée entre les étudiants pauvres. Cette libéralité eut le plus grand succès, et lui valut aussitôt de nombreux amis.

Don Juan avait un grand désir d'apprendre. Il se proposait bien d'écouter comme paroles d'Évangile tout ce qui sortait de la bouche de ses professeurs ; et pour n'en rien perdre, il voulut se placer aussi près que possible de la chaire. Lorsqu'il entra dans la salle où devait se faire la leçon, il vit qu'une place était vide aussi près du professeur qu'il eût pu le désirer. Il s'y assit. Un étudiant sale, mal peigné, vêtu de haillons, comme il y en a tant dans les universités, détourna un instant les yeux de son livre pour les porter sur don Juan avec un air d'étonnement stupide.

« Vous vous mettez à cette place, dit-il d'un ton presque effrayé ; ignorez-vous que c'est là que s'assied d'ordinaire don Garcia Navarro ? »

Don Juan répondit qu'il avait toujours entendu dire que les places appartenaient au premier occupant, et que, trouvant celle-là vide, il croyait pouvoir la prendre, surtout si le seigneur don Garcia n'avait pas chargé son voisin de la lui garder.

« Vous êtes étranger ici, à ce que je vois, dit l'étudiant, et arrivé depuis bien peu de temps, puisque vous ne connaissez pas don Garcia. Sachez donc que c'est un des hommes les plus... »

---

1. L'*université de Salamanque* est une des plus célèbres et des plus anciennes universités espagnoles. L'histoire ne dit pas que don Miguel de Mañara ait étudié à Salamanque.

Ici l'étudiant baissa la voix et parut éprouver la crainte
d'être entendu des autres étudiants.

40 « Don Garcia est un homme terrible. Malheur à qui
l'offense! Il a la patience courte et l'épée longue; et soyez
sûr que, si quelqu'un s'assied à une place où don Garcia s'est
assis deux fois, c'en est assez pour qu'une querelle s'ensuive,
car il est fort chatouilleux et susceptible. Quand il querelle,
45 il frappe, et quand il frappe, il tue. Or donc je vous ai averti,
vous ferez ce qui vous semblera bon. » **(9)**

Don Juan trouvait fort extraordinaire que ce don Garcia
prétendît se réserver les meilleures places sans se donner la
peine de les mériter par son exactitude. En même temps il
50 voyait que plusieurs étudiants avaient les yeux fixés sur lui,
et il sentait combien il serait mortifiant de quitter cette place
après s'y être assis. D'un autre côté, il ne se souciait nullement
d'avoir une querelle dès son arrivée, et surtout avec un homme
aussi dangereux que paraissait l'être don Garcia. Il était dans
55 cette perplexité, ne sachant à quoi se déterminer et restant
toujours machinalement à la même place, lorsqu'un étudiant
entra et s'avança droit vers lui. **(10)**

« Voici don Garcia », lui dit son voisin.

Ce Garcia était un jeune homme large d'épaules, bien décou-
60 plé, le teint hâlé, l'œil fier et la bouche méprisante. Il avait
un pourpoint râpé, qui avait pu être noir, et un manteau troué;
par-dessus tout cela pendait une longue chaîne d'or. On sait
que de tout temps les étudiants de Salamanque et des autres
universités d'Espagne ont mis une espèce de point d'honneur
65 à paraître déguenillés, voulant probablement montrer par là
que le véritable mérite sait se passer des ornements empruntés
à la fortune.

─────── **QUESTIONS** ───────

**9.** Pourquoi Mérimée a-t-il inventé le séjour de don Juan à Salamanque?
— Le pittoresque dans la description de l'université : les archaïsmes, les
traits de couleur locale ne se mêlent-ils pas à quelques traits qui pourraient convenir aux étudiants parisiens de 1830? Ce procédé d'actuali-
sation est-il original? — Le comportement de don Juan à l'université :
son éducation le préparait-il à être un étudiant consciencieux et un peu
naïf? — Don Garcia, d'après le portrait qu'on nous en fait, ne corres-
pond-il pas à un type assez traditionnel de personnage de roman?

**10.** Quel style Mérimée parodie-t-il ici? — Quels traits de caractère se
trouvent mis en lumière par la perplexité de don Juan?

Don Garcia s'approcha du banc où don Juan était encore assis, et le saluant avec beaucoup de courtoisie :

70 « Seigneur étudiant, dit-il, vous êtes nouveau venu parmi nous; pourtant votre nom m'est bien connu. Nos pères ont été grands amis, et, si vous voulez bien le permettre, leurs fils ne le seront pas moins. »

En parlant ainsi, il tendait la main à don Juan de l'air le 75 plus cordial. Don Juan, qui s'attendait à un tout autre début, reçut avec beaucoup d'empressement les politesses de don Garcia et lui répondit qu'il se tiendrait pour très honoré de l'amitié d'un cavalier tel que lui.

« Vous ne connaissez point encore Salamanque, poursuivit 80 don Garcia; si vous voulez bien m'accepter pour votre guide, je serai charmé de vous faire tout voir, depuis le cèdre jusqu'à l'hysope[1], dans le pays où vous allez vivre. » Ensuite, s'adressant à l'étudiant assis à côté de don Juan : « Allons, Périco, tire-toi de là. Crois-tu qu'un butor comme toi doive faire 85 compagnie au seigneur don Juan de Maraña? »

En parlant ainsi, il le poussa rudement et se mit à sa place, que l'étudiant se hâta d'abandonner. (11)

Lorsque la leçon fut finie, don Garcia donna son adresse à son nouvel ami et lui fit promettre de venir le voir. Puis, 90 l'ayant salué de la main d'un air gracieux et familier, il sortit en se drapant avec grâce de son manteau troué comme une écumoire.

Don Juan, tenant ses livres sous son bras, s'était arrêté dans une galerie du collège pour examiner les vieilles inscrip-95 tions qui couvraient les murs, lorsqu'il s'aperçut que l'étudiant qui lui avait d'abord parlé s'approchait de lui comme s'il voulait examiner les même objets. Don Juan, après lui avoir fait une inclination de tête pour lui montrer qu'il le

---

1. Du plus petit détail au plus grand, d'un bout à l'autre de la ville; Mérimée affectionne cette expression biblique et l'emploie à plusieurs reprises dans ses nouvelles (le Vase étrusque, Carmen). L'hysope est une plante aromatique, en forme d'arbuste; sa petite taille l'oppose au cèdre, l'arbre d'Orient qui peut atteindre les plus grandes dimensions.

─────── QUESTIONS ───────

11. La tradition picaresque et les allusions d'actualité dans le portrait de don Garcia : aperçoit-on l'opinion de Mérimée sur de tels personnages? — L'effet de surprise : à quel épisode s'attendait le lecteur? N'est-il pas un peu déçu? — Quel thème traditionnel du roman d'aventures pénètre dans le roman avec la présence de don Garcia?

reconnaissait, se disposait à sortir, mais l'étudiant l'arrêta par son manteau.

« Seigneur don Juan, dit-il, si rien ne vous presse, seriez-vous assez bon pour m'accorder un moment d'entretien?

— Volontiers, répondit don Juan, et il s'appuya contre un pilier, je vous écoute. »

Périco regarda de tous côtés d'un air d'inquiétude, comme s'il craignait d'être observé, et se rapprocha de don Juan pour lui parler à l'oreille, ce qui paraissait une précaution inutile, car il n'y avait personne qu'eux dans la vaste galerie gothique où ils se trouvaient. Après un moment de silence :

« Pourriez-vous me dire, seigneur don Juan, demanda l'étudiant d'une voix basse et presque tremblante, pourriez-vous me dire si votre père a réellement connu le père de don Garcia Navarro? »

Don Juan fit un mouvement de surprise.

« Vous avez entendu don Garcia le dire à l'instant même.

— Oui, répondit l'étudiant, baissant encore plus la voix : mais enfin avez-vous jamais entendu dire à votre père qu'il connût le seigneur Navarro?

— Oui sans doute, et il était avec lui à la guerre contre les Morisques.

— Fort bien; mais avez-vous entendu dire de ce gentilhomme qu'il eût... un fils?

— En vérité, je n'ai jamais fait beaucoup d'attention à ce que mon père pouvait en dire... Mais à quoi bon ces questions? Don Garcia n'est-il pas le fils du seigneur Navarro?... Serait-il bâtard?

— J'atteste le ciel que je n'ai rien dit de semblable, s'écria l'étudiant effrayé en regardant derrière le pilier contre lequel s'appuyait don Juan; je voulais vous demander seulement si vous n'aviez pas connaissance d'une histoire étrange que bien des gens racontent sur ce don Garcia?

— Je n'en sais pas un mot.

— On dit..., remarquez bien que je ne fais que répéter ce que j'ai entendu dire..., on dit que don Diego Navarro avait un fils qui, à l'âge de six ou sept ans, tomba malade d'une maladie grave et si étrange que les médecins ne savaient quel remède y apporter. Sur quoi le père, qui n'avait pas d'autre enfant, envoya de nombreuses offrandes à plusieurs chapelles, fit toucher des reliques au malade, le tout en vain. Désespéré, il dit un jour, m'a-t-on assuré..., il dit un jour en regardant une

image de saint Michel : « Puisque tu ne peux pas sauver
« mon fils, je veux voir si celui qui est là sous tes pieds[1] n'aura
« pas plus de pouvoir. »

— C'était un blasphème abominable! s'écria don Juan, scan-
145 dalisé au dernier point.

— Peu après l'enfant guérit..., et cet enfant..., c'est don
Garcia! (12)

— Si bien que don Garcia a le diable au corps depuis ce
temps-là, dit en éclatant de rire don Garcia, qui se montra
150 au même instant et qui paraissait avoir écouté cette conversation caché derrière un pilier voisin. — En vérité, Périco, dit-il
d'un ton froid et méprisant à l'étudiant stupéfait, si vous n'étiez
pas un poltron, je vous ferais repentir de l'audace que vous
avez eue de parler de moi. — Seigneur don Juan, poursuivit-il
155 en s'adressant à Maraña, quand vous nous connaîtrez mieux,
vous ne perdrez pas votre temps à écouter ce bavard. Et tenez,
pour vous prouver que je ne suis pas un méchant diable, faites-
moi l'honneur de m'accompagner de ce pas à l'église de Saint-
Pierre; lorsque nous y aurons fait nos dévotions, je vous deman-
160 derai la permission de vous faire faire un mauvais dîner avec
quelques camarades. »

En parlant ainsi, il prenait le bras de don Juan, qui, honteux
d'avoir été surpris à écouter l'étrange histoire de Périco, se
hâta d'accepter l'offre de son nouvel ami pour lui prou-
165 ver le peu de cas qu'il faisait des médisances qu'il venait
d'entendre. (13) (14)

---

1. Celui qui est sous les pieds de saint Michel est naturellement le dragon, c'est-à-
dire le diable.

---

### QUESTIONS

**12.** L'effet comique de ce dialogue : à quoi attribuer les hésitations et
les réticences de Périco? Les réactions de don Juan à ces révélations :
à quoi voit-on qu'il est très influençable?

**13.** La réapparition de don Garcia : quels détails antérieurs semblent
prouver qu'il n'était pas là? Essayez de définir, à partir de cet exemple,
le procédé de Mérimée pour créer une impression fantastique.

**14.** Sur l'ensemble de l'épisode intitulé : « Un étrange étudiant ».
— Les personnages : le caractère de don Garcia semble-t-il fait pour
s'accorder avec celui de don Juan? Quels traits psychologiques expliquent
l'ascendant que le premier risque de prendre sur le second?
— La couleur espagnole (costumes, décors, mœurs). Dans quelle tradition, familière depuis longtemps à la littérature française, se retrouve-
t-on ici? Pense-t-on à l'Espagne de Victor Hugo ou à celle de Lesage?

*[Sérénades.]*

En entrant dans l'église de Saint-Pierre, don Juan et don
Garcia s'agenouillèrent devant une chapelle autour de laquelle
il y avait un grand concours de fidèles. Don Juan fit sa prière
à voix basse ; et, bien qu'il demeurât un temps convenable
5 dans cette pieuse occupation, il trouva, lorsqu'il releva la tête,
que son camarade paraissait encore plongé dans une extase
dévote ; il remuait doucement les lèvres ; on eût dit qu'il n'était
pas à la moitié de ses méditations. Un peu honteux d'avoir
si tôt fini, il se mit à réciter tout bas les litanies qui lui revinrent
10 en mémoire. Les litanies dépêchées, don Garcia ne bougeait
pas davantage. Don Juan expédia encore avec distraction
quelques menus suffrages[1] ; puis, voyant son camarade toujours
immobile, il crut pouvoir regarder un peu autour de lui pour
passer le temps et attendre la fin de cette éternelle oraison.
15 Trois femmes, agenouillées sur des tapis de Turquie, attirèrent
son attention tout d'abord. L'une, à son âge, à ses lunettes,
et à l'ampleur vénérable de ses coiffes, ne pouvait être autre
qu'une duègne[2]. Les deux autres étaient jeunes et jolies, et ne
tenaient pas leurs yeux tellement baissés sur leurs chapelets
20 qu'on ne pût voir qu'ils étaient grands, vifs et bien fendus.
Don Juan éprouva beaucoup de plaisir à regarder l'une d'elles,
plus de plaisir même qu'il n'aurait dû en avoir dans un saint
lieu. Oubliant la prière de son camarade, il le tira par la manche
et lui demanda tout bas quelle était cette demoiselle qui tenait
25 un chapelet d'ambre jaune.

« C'est, répondit Garcia sans paraître scandalisé de son
interruption, c'est doña Teresa de Ojeda ; et celle-ci c'est doña
Fausta, sa sœur aînée, toutes les deux filles d'un auditeur au
conseil de Castille. Je suis amoureux de l'aînée ; tâchez de le
30 devenir de la cadette. » **(15)**

---

1. *Menus suffrages :* courtes oraisons facultatives que les gens dévots récitent à
la fin de l'office en commémoration des saints. Rabelais (*Pantagruel*, XXII) emploie
la même expression ; 2. *Duègne :* vieille gouvernante qui, en Espagne, est chargée de
veiller à la bonne éducation d'une jeune fille.

--- **QUESTIONS** ---

15. Comment se complètent les portraits des deux personnages ? Qu'y
a-t-il de paradoxal dans la manière dont se manifeste la piété chez chacun d'eux ? — L'effet de surprise final : pourquoi don Garcia n'est-il
pas scandalisé de la question posée par don Juan ? Quelle signification
peut-on alors donner à la dévotion de don Garcia ?

[Don Garcia donne ensuite d'étranges conseils à don Juan, et lui indique sa méthode habituelle de séduction : ainsi il a toujours sur lui des billets tout écrits. Ils « peuvent servir pour toutes ».]

Tout en causant de la sorte, don Garcia et don Juan se trouvèrent à la porte de la maison où le dîner les attendait. C'était chère d'étudiants, plus copieuse qu'élégante et variée : force ragoûts épicés, viandes salées, toutes choses provoquant
35  à la soif. D'ailleurs il y avait abondance de vins de la Manche[1] et d'Andalousie. Quelques étudiants, amis de don Garcia, attendaient son arrivée. On se mit immédiatement à table, et pendant quelque temps on n'entendit d'autre bruit que celui des mâchoires et des verres heurtant les flacons. Bientôt, le
40  vin mettant les convives en belle humeur, la conversation commença et devint des plus bruyantes. Il ne fut question que de duels, d'amourettes et de tours d'écoliers. L'un racontait comment il avait dupé son hôtesse en déménageant la veille du jour qu'il devait payer son loyer. L'autre avait envoyé
45  demander chez un marchand de vin quelques jarres de *valde-peñas*[2] de la part d'un des plus graves professeurs de théologie, et il avait eu l'adresse de détourner les jarres, laissant le professeur payer le mémoire s'il voulait. Celui-ci avait battu le guet, celui-là, au moyen d'une échelle de corde, était entré
50  chez sa maîtresse malgré les précautions d'un jaloux. D'abord don Juan écoutait avec une espèce de consternation le récit de tous ces désordres. Peu à peu, le vin qu'il buvait et la gaieté des convives désarmèrent sa pruderie. Les histoires que l'on racontait le firent rire, et même il en vint à envier la réputa-
55  tion que donnaient à quelques-uns leurs tours d'adresse ou d'escroquerie. Il commença à oublier les sages principes qu'il avait apportés à l'université, pour adopter la règle de conduite des étudiants; règle simple et facile à suivre, qui consiste à tout se permettre envers les *pillos*, c'est-à-dire toute la partie
60  de l'espèce humaine qui n'est pas immatriculée sur les registres de l'université. L'étudiant au milieu des *pillos* est en pays ennemi, et il a le droit d'agir à leur égard comme les Hébreux à l'égard des Cananéens. Seulement M. le corrégidor[3] ayant malheureusement peu de respect pour les saintes lois de l'uni-

---

1. *La Manche* est une province d'Espagne comprise dans la Nouvelle-Castille (actuellement, c'est la province de Ciudad Real), célèbre comme patrie de Don Quichotte et comme région productrice de vins renommés; 2. Le vin produit dans la région de Valdepeñas (province de Ciudad Real) est renommé dans toute l'Espagne; 3. *Corrégidor :* premier officier de justice des villes espagnoles (commissaire de police).

65 versité, et ne cherchant que l'occasion de nuire à ses initiés,
ils doivent être unis comme frères, s'entraider et surtout se
garder un secret inviolable. **(16)**

Cette édifiante conversation dura aussi longtemps que les
bouteilles. Lorsqu'elles furent vides, toutes les judiciaires[1]
70 étaient singulièrement embrouillées, et chacun éprouvait une
violente envie de dormir. Le soleil étant encore dans toute sa
force, on se sépara pour aller faire la sieste; mais don Juan
accepta un lit chez don Garcia. Il ne se fut pas plus tôt étendu
sur un matelas de cuir, que la fatigue et les fumées du vin le
75 plongèrent dans un profond sommeil. Pendant longtemps ses
rêves furent si bizarres et si confus qu'il n'éprouvait d'autre
sentiment que celui d'un malaise vague, sans avoir la percep-
tion d'une image ou d'une idée qui pût en être la cause. Peu à
peu il commença à voir plus clair dans son rêve, si l'on peut
80 s'exprimer ainsi, et il songea avec suite. Il lui semblait qu'il
était dans une barque sur un grand fleuve plus large et plus
troublé qu'il n'avait jamais vu le Guadalquivir en hiver. Il
n'y avait ni voiles, ni rames, ni gouvernail, et la rive du fleuve
était déserte. La barque était tellement ballottée par le courant,
85 qu'au malaise qu'il éprouvait il se crut à l'embouchure du
Guadalquivir, au moment où les badauds de Séville qui vont
à Cadix commencent à ressentir les premières atteintes du mal
de mer. Bientôt il se trouva dans une partie de la rivière beaucoup plus resserrée, en sorte qu'il pouvait facilement voir et
90 même se faire entendre sur les deux bords. Alors parurent en
même temps, sur les deux rives, deux figures lumineuses qui
s'approchèrent, chacune de son côté, comme pour lui porter
secours. Il tourna d'abord la tête à droite, et vit un vieillard
d'une figure grave et austère, pieds nus, n'ayant pour vête-
95 ment qu'un sayon[2] épineux. Il semblait tendre la main à don
Juan. A gauche, où il regarda ensuite, il vit une femme, d'une
taille élevée et de la figure la plus noble et la plus attrayante,
tenant à la main une couronne de fleurs qu'elle lui présentait.

---

1. *Judiciaire* : nom (aujourd'hui du style burlesque) qui signifie « intelligence,
faculté d'apprécier »; 2. *Sayon* : casaque d'étoffe grossière.

---

**QUESTIONS**

16. L'art du narrateur dans la description de cette scène collective :
décor, personnages, anecdotes. Comment Mérimée actualise-t-il ses personnages? — Quels éléments amorcent l'évolution de don Juan? Cette
évolution n'a-t-elle rien que de naturel? Quelle part y a don Garcia?

En même temps il remarqua que sa barque se dirigeait à son
100 gré, sans rames, mais par le seul fait de sa volonté. Il allait
prendre terre du côté de la femme, lorsqu'un cri, parti de la
rive droite, lui fit tourner la tête et se rapprocher de ce côté.
Le vieillard avait l'air encore plus austère qu'auparavant.
Tout ce que l'on voyait de son corps était couvert de meur-
105 trissures, livide et teint de sang caillé. D'une main, il tenait
une couronne d'épines, de l'autre, un fouet garni de pointes
de fer. A ce spectacle, don Juan fut saisi d'horreur; il revint
bien vite à la rive gauche. L'apparition qui l'avait tant charmé
s'y trouvait encore; les cheveux de la femme flottaient au vent,
110 ses yeux étaient animés d'un feu surnaturel, et au lieu de la
couronne elle tenait en main une épée. Don Juan s'arrêta un
instant avant de prendre terre, et alors, regardant avec plus
d'attention, il s'aperçut que la lame de l'épée était rouge de
sang et que la main de la nymphe était rouge aussi. Épouvanté,
115 il se réveilla en sursaut. En ouvrant les yeux, il ne put retenir
un cri à la vue d'une épée nue qui brillait à deux pieds du lit.
Mais ce n'était pas une belle nymphe qui tenait cette épée.
Don Garcia allait réveiller son ami, et trouvant auprès de son
lit une épée d'un travail curieux, il l'examinait de l'air d'un
120 connaisseur. Sur la lame était cette inscription : « Garde
loyauté. » Et la poignée, comme nous l'avons déjà dit, portait
les armes, le nom et la devise des Maraña. (17)

« Vous avez là une belle épée, mon camarade, dit don Garcia. Vous devez être reposé maintenant. La nuit est venue,
125 promenons-nous un peu; et quand les honnêtes gens de cette
ville seront rentrés chez eux, nous irons, s'il vous plaît, donner
une sérénade à nos divinités. »

Don Juan et don Garcia se promenèrent quelque temps
au bord de la Tormes[1], regardant passer les femmes qui venaient

---

1. La Tormes : rivière de l'Espagne occidentale, qui arrose Salamanque et se
jette dans le Douro.

─────── **QUESTIONS** ───────

17. Mérimée peintre du rêve : comment se retrouvent dans ce songe,
qui succède au trouble de l'ivresse, les images de choses familières à don
Juan ou vues récemment par lui? Quels rapports entre les dernières images
du rêve et l'épée que don Garcia manie auprès du dormeur? D'après
ces données, appréciez la vérité de l'analyse dans cette reconstitution
d'un rêve. — Peut-on interpréter ce rêve comme l'expression des hésitations qui commencent à assaillir don Juan? En quoi est-il aussi une
vision symbolique dont la valeur est prémonitoire? Montrez l'habileté
de Mérimée à harmoniser ces deux plans (humain et surnaturel).

Porte de l'université de Salamanque.

130 respirer le frais ou lorgner leurs amants. Peu à peu les pro-
meneurs devinrent plus rares : ils disparurent tout à fait.

« Voici le moment, dit don Garcia, voici le moment où la
ville tout entière appartient aux étudiants. Les *pillos* n'ose-
raient nous troubler dans nos innocentes récréations. Quant
135 au guet, si par aventure nous avions quelque démêlé avec lui,
je n'ai pas besoin de vous dire que c'est une canaille qu'il ne
faut pas ménager. Mais si les drôles étaient trop nombreux,
et qu'il fallût jouer des jambes, n'ayez aucune inquiétude :
je connais tous les détours, ne vous mettez en peine que de
140 me suivre, et soyez sûr que tout ira bien. »

En parlant ainsi, il jeta son manteau sur son épaule gauche
de manière à se couvrir la plus grande partie de la figure,
mais à se laisser le bras droit libre. Don Juan en fit autant,
et tous les deux se dirigèrent vers la rue qu'habitaient doña
145 Fausta et sa sœur. En passant devant le porche d'une église,
don Garcia siffla, et son page parut tenant une guitare à la
main. Don Garcia la prit et le congédia.

« Je vois, dit don Juan en entrant dans la rue de Valladolid,
je vois que vous voulez m'employer à protéger votre sérénade ;
150 soyez sûr que je me conduirai de manière à mériter votre
approbation. Je serais renié par Séville, ma patrie, si je ne
savais pas garder une rue contre les fâcheux !

— Je ne prétends pas vous poser en sentinelle, répondit don
Garcia. J'ai mes amours ici, mais vous y avez aussi les vôtres.
155 A chacun son gibier. Chut ! voici la maison. Vous à cette jalousie[1], moi à celle-ci, et alerte ! »

Don Garcia, ayant accordé la guitare, se mit à chanter
d'une voix assez agréable une romance où, comme à l'ordinaire, il était question de larmes, de soupirs et de tout ce qui
160 s'ensuit. Je ne sais s'il en était l'auteur. (18)

A la troisième ou quatrième séguedille[2], les jalousies de
deux fenêtres se soulevèrent légèrement, et une petite toux se
fit entendre. Cela voulait dire qu'on écoutait. Les musiciens,

---

1. *Jalousie* : sorte de contrevent à travers lequel on voit sans être vu ; 2. *Séguedille* :
ici, courte composition en vers accompagnée de musique.

---

**QUESTIONS**

18. Les différentes interventions de don Garcia : montrez que chacune
d'elles marque une étape qui entraîne don Juan un peu plus loin ; pourquoi celui-ci ne résiste-t-il pas ? Est-ce le résultat d'un sortilège diabolique
ou d'un penchant naturellement explicable ?

dit-on, ne jouent jamais lorsqu'on les en prie ou qu'on les
écoute. Don Garcia déposa sa guitare sur une borne et entama
la conversation à voix basse avec une des femmes qui
l'écoutaient.

Don Juan, en levant les yeux, vit à la fenêtre au-dessus de
lui une femme qui paraissait le considérer attentivement. Il
ne doutait pas que ce ne fût la sœur de doña Fausta, que son
goût et le choix de son ami lui donnaient pour dame de ses
pensées. Mais il était timide encore, sans expérience, et il ne
savait par où commencer. Tout à coup un mouchoir tomba
de la fenêtre, et une petite voix douce s'écria :

« Ah! Jésus! mon mouchoir est tombé! »

Don Juan le ramassa aussitôt, le plaça sur la pointe de son
épée et le porta à la hauteur de la fenêtre. C'était un moyen
d'entrer en matière. La voix commença par des remerciements,
puis demanda si le seigneur cavalier qui avait tant de courtoisie n'avait pas été dans la matinée à l'église de Saint-Pierre.
Don Juan répondit qu'il y était allé, et qu'il y avait perdu
le repos.

« Comment?

— En vous voyant. »

La glace était brisée. Don Juan était de Séville, et savait
par cœur toutes les romances morisques[1] dont la langue amoureuse est si riche. Il ne pouvait manquer d'être éloquent. La
conversation dura environ une heure. Enfin Teresa s'écria
qu'elle entendait son père, et qu'il fallait se retirer. Les deux
galants ne quittèrent la rue qu'après avoir vu deux petites
mains blanches sortir de la jalousie et leur jeter à chacun une
branche de jasmin. Don Juan alla se coucher la tête remplie
d'images délicieuses. Pour don Garcia, il entra dans un caba-
ret où il passa la plus grande partie de la nuit.

Le lendemain, les soupirs et les sérénades recommencèrent.
Il en fut de même les nuits suivantes. Après une résistance
convenable, les deux dames consentirent à donner et à recevoir des boucles de cheveux, opération qui se fit au moyen
d'un fil qui descendit, et rapporta les gages échangés. Don
Garcia, qui n'était pas homme à se contenter de bagatelles,
parla d'une échelle de corde ou bien de fausses clefs; mais on

---

1. L'adjectif *morisque* indique que les romances que connaissait don Juan étaient
d'origine arabe (mauresque).

le trouva hardi et sa proposition fut, sinon rejetée, du moins indéfiniment ajournée. **(19) (20)**

*[Le Premier Meurtre de don Juan.]*

Depuis un mois à peu près, don Juan et don Garcia roucou-laient[1] assez inutilement sous les fenêtres de leurs maîtresses. Par une nuit très sombre, ils étaient à leur faction ordinaire, et la conversation durait depuis quelque temps à la satisfac-
5 tion de tous les interlocuteurs, lorsque à l'extrémité de la rue parurent sept ou huit hommes en manteau, dont la moitié portaient des instruments de musique.

« Juste ciel! s'écria Teresa, voici don Cristoval qui vient nous donner une sérénade. Éloignez-vous pour l'amour de
10 Dieu, ou il arrivera quelque malheur.

— Nous ne cédons à personne une si belle place, s'écria don Garcia, et élevant la voix : — Cavalier[2], dit-il au premier qui s'avançait, la place est prise, et ces dames ne se soucient guère de votre musique; donc, s'il vous plaît, cherchez fortune
15 ailleurs.

— C'est un de ces faquins[3] d'étudiants qui prétend nous empêcher de passer! s'écria don Cristoval. Je vais lui apprendre ce qu'il en coûte pour s'adresser à mes amours! »

A ces mots, il mit l'épée à la main. En même temps, celles
20 de deux de ses compagnons brillèrent hors du fourreau. Don

---

**1.** *Roucouler :* tenir des propos langoureux (terme de la langue familière); **2.** *Cavalier* (transposition de l'espagnol *caballero*). Autrefois, le terme s'appliquait à un homme de la petite noblesse; ici, il semble plutôt qu'il équivaudrait à « Monsieur »; **3.** *Faquin :* homme méprisable (terme fréquent chez Molière; venant de l'italien *facchino,* portefaix).

---

**━━━ QUESTIONS ━━━**

**19.** Les traits conventionnels de cette scène de galanterie : pourquoi pense-t-on au *Barbier de Séville* de Beaumarchais, mais aussi au *Faust* de Goethe? — Le rôle de don Garcia dans cette scène. — L'idylle entre Teresa et don Juan : a-t-on l'impression que Teresa joue son rôle pour la première fois? Comment l'auteur explique-t-il l'éloquence et le succès de don Juan? — Sur quel ton l'auteur parle-t-il des jeux de la galanterie (romances, tendres propos, etc.)? Relevez les expressions où se manifeste son dédain pour ce genre de littérature.

**20.** SUR L'ENSEMBLE DE L'ÉPISODE INTITULÉ « SÉRÉNADES ». — Qu'est-ce qui fait l'unité de cet épisode? Comment est-il composé? Montrez-en la progression.
— L'évolution du caractère de don Juan : de quelle manière réagit-il à l'entraînement dont il est l'objet? Marquez que, de spectateur, il devient acteur timide dans son imitation.

Garcia, avec une prestesse admirable, roulant son manteau autour de son bras, mit flamberge au vent[1] et s'écria :

« A moi les étudiants! »

Mais il n'y en avait pas un seul aux environs. Les musiciens,
25 craignant sans doute de voir leurs instruments brisés dans la bagarre, prirent la fuite en appelant la justice, pendant que les deux femmes à la fenêtre invoquaient à leur aide tous les saints du paradis.

Don Juan, qui se trouvait au-dessous de la fenêtre la plus
30 proche de don Cristoval, eut d'abord à se défendre contre lui. Son adversaire était adroit, et, en outre, il avait à la main gauche une targe[2] de fer dont il se servait pour parer, tandis que don Juan n'avait que son épée et son manteau. Vivement pressé par don Cristoval, il se rappela fort à propos une botte[3]
35 du seigneur Uberti, son maître d'armes. Il se laissa tomber sur sa main gauche, et de la droite, glissant son épée sous la targe de don Cristoval, il la lui enfonça au défaut des côtes avec tant de force que le fer se brisa après avoir pénétré de la longueur d'une palme[4]. Don Cristoval poussa un cri et
40 tomba baigné dans son sang. Pendant cette opération, qui dura moins à faire qu'à raconter, don Garcia se défendait avec succès contre ses deux adversaires, qui n'eurent pas plus tôt vu leur chef sur le carreau qu'ils prirent la fuite à toutes jambes. **(21)**

45 « Sauvons-nous maintenant, dit don Garcia; ce n'est pas le moment de s'amuser. Adieu, mes belles! »

Et il entraîna avec lui don Juan tout effaré de son exploit. A vingt pas de la maison, don Garcia s'arrêta pour demander à son compagnon ce qu'il avait fait de son épée.

50 « Mon épée? dit don Juan, s'apercevant alors seulement qu'il ne la tenait plus à la main... Je ne sais... je l'aurai probablement laissée tomber.

---

**1.** *Mettre flamberge au vent* : tirer l'épée et se préparer au combat; l'expression est utilisée surtout dans le style plaisant; **2.** *Targe* : sorte de petit bouclier; **3.** *Botte :* coup d'épée ou de fleuret en termes d'escrime; **4.** *Palme :* ici, mesure de longueur d'environ 22 cm.

──────── **QUESTIONS** ────────

**21.** Caractérisez l'art de Mérimée dans ce récit du combat : connaissez-vous, dans d'autres nouvelles, des épisodes du même genre, où on retrouve autant de mouvement, de sobriété et de précision? — Les éléments conventionnels de cet épisode lui enlèvent-ils de l'intérêt? Quelles circonstances atténuent la responsabilité de don Juan dans le meurtre qu'il commet?

— Malédiction! s'écria don Garcia, et votre nom qui est gravé sur la garde[1]! »

55　Dans ce moment on voyait des hommes avec des flambeaux sortir des maisons voisines et s'empresser autour du mourant. A l'autre bout de la rue une troupe d'hommes armés s'avançaient rapidement. C'était évidemment une patrouille attirée par les cris des musiciens et par le bruit du combat.

60　Don Garcia, rabattant son chapeau sur ses yeux, et se couvrant de son manteau le bas du visage pour n'être pas reconnu, s'élança, malgré le danger, au milieu de tous ces hommes rassemblés, espérant retrouver cette épée qui aurait indubitablement fait reconnaître le coupable. Don Juan le vit frapper

65　de droite et de gauche, éteignant les lumières et culbutant tout ce qui se trouvait sur son passage. Il reparut bientôt courant de toutes ses forces et tenant une épée de chaque main : toute la patrouille le poursuivait.

« Ah! don Garcia, s'écria don Juan en prenant l'épée qu'il

70　lui tendait, que de remerciements je vous dois!

— Fuyons! Fuyons! s'écria Garcia. Suivez-moi, et si quelqu'un de ces coquins vous serre de trop près, piquez-le comme vous venez de faire à l'autre. » (22)

Tous deux se mirent alors à courir avec toute la vitesse

75　que pouvait leur prêter leur vigueur naturelle, augmentée de la peur de M. le corrégidor, magistrat qui passait pour encore plus redoutable aux étudiants qu'aux voleurs.

Don Garcia, qui connaissait Salamanque comme son *Deus det*[2], était fort habile à tourner rapidement les coins de rues

80　et à se jeter dans les allées étroites, tandis que son compagnon, plus novice, avait grand-peine à le suivre. L'haleine commençait à leur manquer, lorsque au bout d'une rue ils rencon-

---

**1.** On se souvient que don Garcia avait longuement admiré l'épée de don Juan pendant le sommeil de celui-ci, dès le début de leur amitié; **2.** *Deus det :* abréviation pour *Deus det nobis suam pacem* (« Que Dieu nous accorde sa paix »). Cette phrase fait partie des « grâces » rendues après le repas. L'expression vient sans aucun doute de Rabelais, *Pantagruel*, XVI, *Des mœurs et conditions de Panurge :* « En moins de deux jours [Panurge] sut toutes les rues, ruelles et traverses de Paris comme son *Deus det.* »

---

────────── **QUESTIONS** ──────────

**22.** Étudiez les traits qui peignent la présence d'esprit, le dévouement et le courage de don Garcia. L'opinion du lecteur sur le personnage en est-elle changée? Pourquoi a-t-on l'impression que tout a été prévu et prémédité par don Garcia?

trèrent un groupe d'étudiants qui se promenaient en chantant et jouant de la guitare. Aussitôt que ceux-ci se furent aperçus 35 que deux de leurs camarades étaient poursuivis, ils se saisirent de pierres, de bâtons et de toutes les armes possibles. Les archers, tout essoufflés, ne jugèrent pas à propos d'entamer l'escarmouche. Ils se retirèrent prudemment, et les deux coupables allèrent se réfugier et se reposer un instant dans une 90 église voisine.

Sous le portail, don Juan voulut remettre son épée dans le fourreau, ne trouvant pas convenable ni chrétien d'entrer dans la maison de Dieu une arme à la main. Mais le fourreau résistait, la lame n'entrait qu'avec peine; bref, il reconnut 95 que l'épée qu'il tenait n'était pas la sienne : don Garcia, dans sa précipitation, avait saisi la première épée qu'il avait trouvée à terre, et c'était celle du mort ou d'un de ses acolytes. Le cas était grave; don Juan en avertit son ami, qu'il avait appris à regarder comme de bon conseil.

100 Don Garcia fronça le sourcil, se mordit les lèvres, tordit les bords de son chapeau, se promena quelques pas, pendant que don Juan, tout étourdi de la fâcheuse découverte qu'il venait de faire, était en proie à l'inquiétude autant qu'aux remords. Après un quart d'heure de réflexions, pendant lequel don 105 Garcia eut le bon goût de ne pas dire une seule fois : « Pourquoi laissiez-vous tomber votre épée? », celui-ci prit don Juan par le bras et lui dit :

« Venez avec moi, je tiens votre affaire[1]. » **(23) (24)**

---

1. *Je tiens votre affaire* : j'ai ce qu'il vous faut.

---

──────── **QUESTIONS** ────────

**23.** Les éléments traditionnels dans cet épisode (la patrouille du guet, la fuite dans la nuit, etc.). — Relevez les détails qui sont capables d'intriguer de plus en plus le lecteur au sujet de la conduite de don Garcia. Comment chaque difficulté surgit-elle pour se résoudre ensuite? Quel est chaque fois le résultat sur les sentiments de don Juan à l'égard de don Garcia?

**24.** Sur l'ensemble de l'épisode intitulé « le Premier Meurtre de don Juan ». — Le roman d'aventures se déroule selon les données traditionnelles du genre : pourquoi Mérimée ne craint-il pas une banalité qui risque de décevoir le lecteur? Comment soutient-il l'intérêt?
— L'évolution de don Juan : dans quelle mesure a-t-on l'impression qu'il est soumis à une force fatale? Qu'y a-t-il de romantique ou de pseudo-romantique dans cette façon de présenter le héros?

[Don Garcia aborde un prêtre, qu'il intéresse au « cas de conscience » que pose don Juan. Il prétend que don Juan a prêté son épée à un inconnu, qui, en échange, lui a confié la sienne; cet inconnu est le meurtrier de don Cristoval et l'épée que possède maintenant don Juan n'est pas la sienne, puisqu'elle ne peut entrer dans le fourreau. Convaincu par ces arguments et quelques pièces d'or, le prêtre affirme qu'il n'y a nul péché de la part de don Juan et surtout qu'il témoignera en justice, le cas échéant, de la bonne foi de celui-ci. Don Juan ne repose cependant pas en toute tranquillité.]

*[ La Première Conquête de don Juan.]*

Il reposait déjà depuis quelques heures, quand son domestique l'éveilla en lui disant qu'une dame voilée demandait à lui parler. Au même moment une femme entra dans la chambre. Elle était enveloppée de la tête aux pieds d'un grand
5 manteau noir qui ne lui laissait qu'un œil découvert. Cet œil, elle le tourna vers le domestique, puis vers don Juan, comme pour demander à lui parler sans témoins. Le domestique sortit aussitôt. La dame s'assit, regardant don Juan de tout son œil avec la plus grande attention. Après un moment de silence,
10 elle commença de la sorte :

« Seigneur cavalier, ma démarche a de quoi surprendre, et vous devez, sans doute, concevoir de moi une médiocre opinion; mais si l'on connaissait les motifs qui m'amènent ici, sans doute on ne me blâmerait pas. Vous vous êtes battu hier
15 avec un cavalier de cette ville...

— Moi, madame! s'écria don Juan en pâlissant; je ne suis pas sorti de cette chambre...

— Il est inutile de feindre avec moi, et je dois vous donner l'exemple de la franchise. »
20 En parlant ainsi, elle écarta son manteau, et don Juan reconnut doña Teresa.

« Seigneur don Juan, poursuivit-elle en rougissant, je dois vous avouer que votre bravoure m'a intéressée pour vous au dernier point. J'ai remarqué, malgré le trouble où j'étais, que
25 votre épée s'était brisée, et que vous l'aviez jetée à terre auprès de notre porte. Au moment où l'on s'empressait autour du blessé, je suis descendue et j'ai ramassé la poignée de cette épée. En la considérant j'ai lu votre nom, et j'ai compris combien vous seriez exposé si elle tombait entre les mains de
30 vos ennemis. La voici, je suis bien heureuse de pouvoir vous la rendre. »

Comme de raison, don Juan tomba à ses genoux, lui dit qu'il lui devait la vie, mais que c'était un présent inutile, puisqu'elle allait le faire mourir d'amour. Doña Teresa était pressée
35 et voulait se retirer sur-le-champ; cependant elle écoutait don Juan avec tant de plaisir qu'elle ne pouvait se décider à s'en retourner. Une heure à peu près se passa de la sorte, toute remplie de serments d'amour éternel, de baisements de main, prières d'une part, faibles refus de l'autre. Don Garcia, entrant
40 tout à coup, interrompit le tête-à-tête. Il n'était pas homme à se scandaliser. Son premier soin fut de rassurer Teresa. Il loua beaucoup son courage, sa présence d'esprit, et finit par la prier de s'entremettre auprès de sa sœur afin de lui ménager un accueil plus humain. Doña Teresa promit tout ce qu'il
45 voulut, s'enveloppa hermétiquement dans son manteau et partit après avoir promis de se trouver le soir même avec sa sœur dans une partie de la promenade qu'elle désigna. (25)

« Nos affaires vont bien, dit don Garcia aussitôt que les deux jeunes gens furent seuls. Personne ne vous soupçonne.
50 Le corrégidor[1], qui ne me veut nul bien, m'avait d'abord fait l'honneur de penser à moi. Il était persuadé, disait-il, que c'était moi qui avais tué don Cristoval. Savez-vous ce qui lui a fait changer d'opinion? c'est qu'on lui a dit que j'avais passé toute la soirée avec vous; et vous avez, mon cher, une si grande
55 réputation de sainteté que vous en avez à revendre pour les autres. Quoi qu'il en soit, on ne pense pas à nous. L'espièglerie de cette brave petite Teresa nous rassure pour l'avenir : ainsi n'y pensons plus et ne songeons qu'à nous amuser.

— Ah! Garcia, s'écria tristement don Juan, c'est une bien
60 triste chose que de tuer un de ses semblables!

— Il y a quelque chose de plus triste, répondit don Garcia, c'est qu'un de nos semblables nous tue, et une troisième chose qui surpasse les deux autres en tristesse, c'est un jour passé sans dîner. C'est pourquoi je vous invite à dîner aujourd'hui
65 avec quelques bons vivants, qui seront charmés de vous voir. »

En disant ces mots, il sortit.

---

1. *Corrégidor :* voir page 110, note 3.

─────── **QUESTIONS** ───────

25. Le langage et le ton de Teresa : nous fait-elle la même impression que page 115? — La scène d'amour entre Teresa et don Juan : comment y reparaît la désinvolture déjà remarquée dans l'épisode de la sérénade? — Quelle impression produit encore l'arrivée de don Garcia?

L'amour faisait déjà une puissante diversion aux remords
de notre héros. La vanité acheva de les étouffer. Les étudiants
avec lesquels il dîna chez Garcia avaient appris par lui quel
70 était le véritable meurtrier de don Cristoval. Ce Cristoval
était un cavalier fameux par son courage et par son adresse,
redouté des étudiants : aussi sa mort ne pouvait qu'exciter
leur gaieté, et son heureux adversaire fut accablé de compliments. A les entendre, il était l'honneur, la fleur, le bras de
75 l'université. Sa santé fut bue avec enthousiasme, et un étudiant de Murcie improvisa un sonnet à sa louange, dans lequel
il le comparait au Cid et à Bernard del Carpio[1]. En se levant
de table, don Juan se sentait bien encore quelque poids sur
le cœur; mais s'il avait eu le pouvoir de ressusciter don Cris-
80 toval, il est douteux qu'il en eût fait usage, de peur de perdre
la considération et la renommée que cette mort lui avait
acquises dans toute l'université de Salamanque. **(26)**

*[Le Deuxième Meurtre de don Juan.]*

[Doña Teresa devient la maîtresse de don Juan, et doña Fausta
celle de don Garcia. Celui-ci propose à don Juan de faire un infâme
échange, et de jouer leurs maîtresses aux cartes. Quand doña Fausta
comprend ce que lui propose don Juan, elle le menace d'un couteau,
puis appelle à l'aide. Un homme (c'est le père des jeunes filles)
apparaît, lâche un coup d'arquebuse sur don Juan, mais il le manque,
et c'est sa fille qu'il tue. Il attaque ensuite don Juan à l'épée. En se
défendant, celui-ci le blesse mortellement, puis s'enfuit.]

Don Garcia achevait la dernière bouteille de Montilla lorsque
don Juan, pâle, couvert de sang, les yeux égarés, son pourpoint déchiré et son rabat sortant d'un demi-pied de ses limites
ordinaires, entra précipitamment dans sa chambre et se jeta
5 tout haletant sur un fauteuil sans pouvoir parler. L'autre
comprit à l'instant que quelque accident grave venait d'arriver.

---

1. Sur ces deux personnages, voir page 100, notes 2 et 3.

---
**QUESTIONS** ─────────────

26. Relevez dans cette page toutes les notations psychologiques qui
montrent l'évolution de don Juan ainsi que les causes de cette évolution.
— La vraisemblance psychologique : don Garcia est-il autre chose qu'un
libertin? Don Juan, *accablé de compliments* (lignes 73-74), peut-il avoir
l'impression qu'il n'a pas manqué aux leçons qu'il a reçues dans son
enfance?

Il laissa don Juan respirer péniblement deux ou trois fois, puis il lui demanda des détails; en deux mots il fut au fait. Don Garcia, qui ne perdait pas facilement son flegme habituel, écouta sans sourciller le récit entrecoupé que lui fit son ami. Puis, remplissant un verre et le lui présentant :

« Buvez, dit-il, vous en avez besoin. C'est une mauvaise affaire, ajouta-t-il après avoir bu lui-même. Tuer un père est grave... Il y a bien des exemples pourtant, à commencer par le Cid. Le pire, c'est que vous n'avez pas cinq cents hommes tous habillés de blanc[1], tous vos cousins, pour vous défendre des archers de Salamanque et des parents du défunt... Occupons-nous d'abord du plus pressé... »

Il fit deux ou trois tours dans la chambre comme pour recueillir ses idées.

« Rester à Salamanque, reprit-il, après un semblable esclandre[2], ce serait folie. Ce n'est pas un hobereau[3] que don Alonso de Ojeda, et d'ailleurs les domestiques ont dû vous reconnaître. Admettons pour un moment que vous n'ayez pas été reconnu; vous vous êtes acquis maintenant à l'université une réputation si avantageuse, qu'on ne manquera pas de vous imputer un méfait anonyme. Tenez, croyez-moi, il faut partir, et le plus tôt c'est le mieux. Vous êtes devenu ici trois fois plus savant qu'il ne sied à un gentilhomme de bonne maison. Laissez là Minerve, et essayez un peu de Mars[4]; cela vous réussira mieux, car vous avez des dispositions. On se bat en Flandre. Allons tuer des hérétiques[5], rien n'est plus propre à racheter nos peccadilles en ce monde. Amen! Je finis comme au sermon. »

Le mot de Flandre opéra comme un talisman sur don Juan. Quitter l'Espagne, il croyait que c'était s'échapper à lui-même. Au milieu des fatigues et des dangers de la guerre, il n'aurait pas de loisir pour ses remords.

« En Flandre, en Flandre! s'écria-t-il, allons nous faire tuer en Flandre.

---

1. Allusion à la légende du *Cid*, où les compagnons du héros sont des cavaliers tous blancs comme neige; 2. *Esclandre :* bruit scandaleux à propos d'un accident fâcheux; 3. *Hobereau :* personnage de petite noblesse; 4. *Minerve :* déesse de l'Intelligence; *Mars :* dieu de la Guerre et de la Violence; 5. Les habitants des Pays-Bas du Nord (Hollande, Zélande), convertis au protestantisme, s'étaient révoltés contre les Espagnols catholiques au cours de la seconde moitié du XVIe siècle. Leur indépendance ne fut reconnue par l'Espagne qu'en 1648, aux traités de Westphalie. Mais (voir Notice, page 92) il est difficile de savoir à quel moment de la lutte Mérimée place cet épisode de la vie de son personnage.

— De Salamanque à Bruxelles, il y a loin, reprit gravement
don Garcia, et dans votre position vous ne pouvez partir trop
tôt. Songez que si M. le corrégidor vous attrape, il vous
sera bien difficile de faire une campagne ailleurs que sur les
45 galères[1] de Sa Majesté. » (27)

Après s'être concerté quelques instants avec son ami, don
Juan se dépouilla promptement de son habit d'étudiant. Il
prit une veste de cuir brodé telle qu'en portaient alors les
militaires, un grand chapeau rabattu, et n'oublia pas de garnir
50 sa ceinture d'autant de doublons[2] que don Garcia put la charger.
Tous ces apprêts ne durèrent que quelques minutes. Il se mit
en route à pied, sortit de la ville sans être reconnu, et marcha
toute la nuit et toute la matinée suivante, jusqu'à ce que la
chaleur du soleil l'obligeât à s'arrêter. A la première ville où
55 il arriva, il s'acheta un cheval, et s'étant joint à une caravane
de voyageurs, il parvint sans obstacle à Saragosse. Là, il demeura
quelques jours sous le nom de don Juan Carrasco. Don Garcia,
qui avait quitté Salamanque le lendemain de son départ, prit
un autre chemin et le rejoignit à Saragosse. Ils n'y firent pas
60 un long séjour. Après avoir accompli fort à la hâte leurs dévotions à Notre-Dame du Pilier, non sans lorgner les beautés
aragonaises, pourvus chacun d'un bon domestique, ils se ren-
dirent à Barcelone, où ils s'embarquèrent pour Civita-Vecchia[3].
La fatigue, le mal de mer, la nouveauté des sites et la légèreté
65 naturelle de don Juan, tout se réunissait pour qu'il oubliât
vite les horribles scènes qu'il laissait derrière lui. Pendant
quelques mois, les plaisirs que les deux amis trouvèrent en
Italie leur firent négliger le but principal de leur voyage; mais,
les fonds commençant à leur manquer, ils se joignirent à un

---

1. Comme en France, les condamnés pour crime grave étaient envoyés sur les
galères royales; 2. *Doublon : monnaie d'or espagnole;* 3. *Civita-Vecchia :* port
d'Italie sur la mer Tyrrhénienne, non loin de Rome.

───── **QUESTIONS** ─────

27. Comment le récit de Mérimée, en contant le meurtre du père de
doña Fausta, rejoint-il la légende de don Juan dans un de ses épisodes
traditionnels? — Analysez le rôle et les paroles de don Garcia dans cette
aventure : comment devient-il la mauvaise conscience de don Juan?
Quels apaisements apporte-t-il à ses remords? Pourquoi le séjour à Salamanque devient-il désormais impossible à don Juan? Montrez que la
logique de don Garcia s'appuie sur des arguments dont l'enchaînement
est irréfutable : dans quelle mesure don Garcia paraît-il avoir conduit
les événements? — Les réactions de don Juan : se contente-t-il d'approu-
ver les propositions de don Garcia? Commentez à ce sujet les lignes 39-40.

70 certain nombre de leurs compatriotes, braves comme eux et
légers d'argent, et se mirent en route pour l'Allemagne. **(28) (29)**

[*La Bourse du capitaine Gomare.*]

Arrivés à Bruxelles¹ chacun s'enrôla dans la compagnie du
capitaine qui lui plut. Les deux amis voulurent faire leurs premières armes dans celle du capitaine don Manuel Gomare²,
d'abord parce qu'il était Andalou, ensuite parce qu'il passait
5 pour n'exiger de ses soldats que du courage et des armes bien
polies et en bon état, fort accommodant d'ailleurs sur la
discipline.

Charmé de leur bonne mine, celui-ci les traita bien et selon
leurs goûts, c'est-à-dire qu'il les employa dans toutes les occa-
10 sions périlleuses. La fortune leur fut favorable, et là où beaucoup de leurs camarades trouvèrent la mort, ils ne reçurent
pas une blessure et se firent remarquer des généraux. Ils
obtinrent chacun une enseigne³ le même jour. Dès ce moment,
se croyant sûrs de l'estime et de l'amitié de leurs chefs, ils
15 avouèrent leurs véritables noms et reprirent leur train de vie
ordinaire, c'est-à-dire qu'ils passaient le jour à jouer ou à
boire, et la nuit à donner des sérénades aux plus jolies femmes
des villes où ils se trouvaient en garnison pendant l'hiver. Ils

---

1. *Bruxelles* était la capitale des Pays-Bas espagnols et catholiques, et le quartier
général des troupes espagnoles dans cette région de l'Europe. Ces troupes, au début
du XVIIᵉ siècle, avaient à lutter à la fois contre le roi de France et contre les Provinces-
Unies (partie nord des Pays-Bas, dont les habitants, protestants, s'étaient révoltés
contre le roi d'Espagne et avaient fondé une république indépendante); 2. Le nom
et les personnages sont imaginés par Mérimée; 3. *Enseigne :* charge de porte-drapeau,
puis compagnie commandée par celui qui avait cette charge. *Obtenir une enseigne :*
recevoir le commandement d'une compagnie.

---

======= QUESTIONS =======

**28.** Le rythme du récit dans cette narration du voyage de don Juan
et de don Garcia : énumérez tous les effets de style qui accélèrent le déroulement des faits. Quel effet en résulte ?

**29.** SUR L'ENSEMBLE DES ÉPISODES INTITULÉS « LA PREMIÈRE CONQUÊTE
DE DON JUAN » ET « LE DEUXIÈME MEURTRE DE DON JUAN ». — L'évolution de don Juan : dans quelle mesure conserve-t-il des traits qui viennent
de son bon naturel et de sa bonne éducation? A-t-il conscience d'être
de plus en plus entraîné vers le mal? A partir de quel moment naissent
en lui regrets et remords? — Le rôle de don Garcia : est-il un ami dévoué
ou un conseiller diabolique?

avaient reçu de leurs parents leur pardon, ce qui les toucha
20 médiocrement, et des lettres de crédit[1] sur des banquiers
d'Anvers. Ils en firent bon usage. Jeunes, riches, braves et
entreprenants, leurs conquêtes furent nombreuses et rapides.
Je ne m'arrêterai pas à les raconter; qu'il suffise au lecteur
de savoir que, lorsqu'ils voyaient une jolie femme, tous les
25 moyens leur étaient bons pour l'obtenir. Promesses, serments
n'étaient qu'un jeu pour ces indignes libertins, et si des frères
ou des maris trouvaient à redire à leur conduite, ils avaient pour
leur répondre de bonnes épées et des cœurs impitoyables. **(30)**
    La guerre recommença avec le printemps.
30      Dans une escarmouche qui fut malheureuse pour les Espagnols, le capitaine Gomare fut mortellement blessé. Don Juan,
qui le vit tomber, courut à lui et appela quelques soldats pour
l'emporter; mais le brave capitaine, rassemblant ce qui lui
restait de forces, lui dit :
35      « Laissez-moi mourir ici, je sens que c'est fait de moi. Autant
vaut mourir ici qu'une demi-lieue plus loin. Gardez vos soldats; ils vont être assez occupés, car je vois les Hollandais
qui s'avancent en force. — Enfants, ajouta-t-il en s'adressant
aux soldats qui s'empressaient autour de lui, serrez-vous autour
40 de vos enseignes[2] et ne vous inquiétez pas de moi. »
    Don Garcia survint en ce moment, et lui demanda s'il n'avait
pas quelque dernière volonté qui pût être exécutée après sa
mort.
    « Que diable voulez-vous que je veuille dans un moment
45 comme celui-ci?... »
    Il parut se recueillir quelques instants.
    « Je n'ai jamais beaucoup songé à la mort, reprit-il, et je
ne la croyais pas si prochaine... Je ne serais pas fâché d'avoir
auprès de moi quelque prêtre... Mais tous nos moines sont

---

1. *Lettre de crédit :* lettre envoyée par un banquier à un ou à plusieurs correspon-
dants, pour leur demander de remettre des fonds à un tiers, s'engageant à en effec-
tuer le remboursement. En d'autres termes, les parents des deux jeunes gens invitent
leurs fils à emprunter de l'argent aux banquiers d'Anvers (la ville la plus riche des
Pays-Bas espagnols), et les banquiers sont remboursés par un correspondant en
Espagne, chez qui les parents ont leur argent en dépôt; 2. *Autour de vos étendards.*

──────── **QUESTIONS** ────────

**30.** La nouvelle transformation de don Juan; ne vous paraît-elle pas
plus profonde que les précédentes? Comment cela s'explique-t-il? —
Dans quelle mesure le nouveau portrait de don Juan est-il celui du sou-
dard conventionnel?

aux bagages[1]... Il est dur pourtant de mourir sans confession !

— Voici mon livre d'heures[2], dit don Garcia en lui présentant un flacon de vin. Prenez courage. »

Les yeux du vieux soldat devenaient de plus en plus troubles. La plaisanterie de don Garcia ne fut pas remarquée par lui, mais les vieux soldats qui l'entouraient en furent scandalisés.

« Don Juan, dit le moribond, approchez, mon enfant. Venez, je vous fais mon héritier. Prenez cette bourse, elle contient tout ce que je possède ; il vaut mieux qu'elle soit à vous qu'à ces excommuniés. La seule chose que je vous demande, c'est de faire dire quelques messes pour le repos de mon âme. » **(31)**

Don Juan promit en lui serrant la main, tandis que don Garcia lui faisait observer tout bas quelle différence il y avait entre les opinions d'un homme faible quand il meurt et celles qu'il professe assis devant une table couverte de bouteilles. Quelques balles venant à siffler à leurs oreilles leur annoncèrent l'approche des Hollandais. Les soldats reprirent leurs rangs. Chacun dit adieu à la hâte au capitaine Gomare, et on ne s'occupa plus que de faire retraite en bon ordre. Cela était assez difficile avec un ennemi nombreux, un chemin défoncé par les pluies, et des soldats fatigués d'une longue marche. Pourtant les Hollandais ne purent les entamer, et abandonnèrent la poursuite à la nuit sans avoir pris un drapeau ou fait un seul prisonnier qui ne fût blessé.

Le soir, les deux amis, assis dans une tente avec quelques officiers, devisaient de l'affaire à laquelle ils venaient d'assister. On blâma les dispositions du commandant du jour, et l'on trouva après coup tout ce qu'il aurait fallu faire. Puis on en vint à parler des morts et des blessés.

---

1. En arrière des lignes, auprès des bagages et des vivres ; 2. Le *livre d'heures* contient les prières qu'on doit dire à certaines heures.

---

**━━━━ QUESTIONS ━━━━━━━━━━━━━━━━━━━━**

**31.** La peinture des mœurs militaires : quels rapprochements peut-on faire avec certains détails de *l'Enlèvement de la redoute* ? Comparez notamment l'attitude du capitaine Gomare agonisant à celle du colonel dans l'autre nouvelle. — Que peut représenter la religion pour le capitaine Gomare et les *vieux soldats* qui l'entourent ? — A quels signes voit-on qu'il existe entre Gomare et don Juan des liens réciproques d'une estime personnelle ? — L'attitude de don Garcia : en quoi est-elle scandaleuse ? — Quels souvenirs peut éveiller dans la conscience de don Juan la dernière demande du capitaine (lignes 56-60) ?

« Pour le capitaine Gomare, dit don Juan, je le regretterai
80 longtemps. C'était un brave officier, bon camarade, un véritable père pour ses soldats.

— Oui, dit don Garcia; mais je vous avouerai que jamais
je n'ai été si surpris que lorsque je l'ai vu tant en peine pour
n'avoir pas une robe noire à ses côtés[1]. Cela ne prouve qu'une
85 chose, c'est qu'il est plus facile d'être brave en paroles qu'en
actions. Tel se moque d'un danger éloigné qui pâlit quand il
s'approche. A propos, don Juan, puisque vous êtes son héritier, dites-nous ce qu'il y a dans la bourse qu'il vous a laissée? »

Don Juan l'ouvrit alors pour la première fois, et vit qu'elle
90 contenait environ soixante pièces d'or.

« Puisque nous sommes en fonds, dit don Garcia, habitué
à regarder la bourse de son ami comme la sienne, pourquoi
ne ferions-nous pas une partie de pharaon[2] au lieu de pleur-
nicher ainsi en pensant à nos amis morts? » (32)
95 La proposition fut goûtée de tous; on apporta quelques
tambours que l'on couvrit d'un manteau. Ils servirent de table
de jeu. Don Juan joua le premier, conseillé par don Garcia;
mais avant de ponter[3] il tira de sa bourse dix pièces d'or qu'il
enveloppa dans son mouchoir et qu'il mit dans sa poche.
100 « Que diable voulez-vous en faire? s'écria don Garcia. Un
soldat thésauriser! et la veille d'une affaire[4]!

— Vous savez, don Garcia, que tout cet argent n'est pas à
moi. Don Manuel m'a fait un legs *sub poenae nomine*[5], comme
nous disions à Salamanque.
105 — La peste soit du fat[6]! s'écria don Garcia. Je crois, le
diable m'emporte, qu'il a l'intention de donner ces dix écus
au premier curé que nous rencontrerons.

— Pourquoi pas? Je l'ai promis.

---

1. Parce qu'il n'avait pas un homme d'Église à ses côtés; 2. *Pharaon* : ancien jeu
de cartes, qui présente de grandes analogies avec le baccara; 3. *Ponter* : miser de
l'argent contre le banquier; 4. En langage militaire, une *affaire* est une bataille; 5. *Sub
poenae nomine* : à titre de peine. Terme de droit romain (Mérimée avait fait des
études de droit); il se dit d'un legs qui a moins pour but d'avantager le légataire
que de l'obliger à faire ou à ne pas faire quelque chose; 6. *Fat* : sot (langue classique).

---

**QUESTIONS**

32. Les deux aspects de la vie militaire dépeints ici : sa grandeur et
ses petitesses. — La morale de don Garcia : montrez son insistance à
critiquer l'attitude du capitaine Gomare devant la mort; quelle définition
du courage essaie-t-il d'inculquer à don Juan?

— Taisez-vous; par la barbe de Mahomet! vous me faites honte, et je ne vous reconnais pas. »

Le jeu commença; les chances furent d'abord variées; bientôt elles tournèrent décidément contre don Juan. En vain, pour rompre la veine[1], don Garcia prit les cartes; au bout d'une heure, tout l'argent qu'ils possédaient, et de plus les cinquante écus du capitaine Gomare, étaient passés dans les mains du banquier. Don Juan voulait aller dormir; mais don Garcia était échauffé, il prétendit avoir sa revanche et regagner ce qu'il avait perdu.

« Allons, monsieur Prudent, dit-il, voyons ces derniers écus que vous avez si bien serrés. Je suis sûr qu'ils nous porteront bonheur.

— Songez, don Garcia, que j'ai promis!...

— Allons, allons, enfant que vous êtes! Il s'agit bien de messes à présent. Le capitaine, s'il était ici, aurait plutôt pillé une église que de laisser passer une carte sans ponter.

— Voilà cinq écus, dit don Juan. Ne les exposez pas d'un seul coup.

— Point de faiblesse! » dit don Garcia. Et il mit les cinq écus sur un roi. Il gagna, fit paroli[2], mais perdit le second coup.

« Voyons les cinq derniers! » s'écria-t-il pâlissant de colère. Don Juan fit quelques objections facilement surmontées; il céda et donna quatre écus qui aussitôt suivirent les premiers. Don Garcia, jetant les cartes au nez du banquier, se leva furieux. Il dit à don Juan : « Vous avez toujours été heureux, vous, et j'ai entendu dire qu'un dernier écu a un grand pouvoir pour conjurer le sort. »

Don Juan était pour le moins aussi furieux que lui. Il ne pensa plus aux messes ni à son serment. Il mit sur un as le seul écu restant, et le perdit aussitôt.

« Au diable l'âme du capitaine Gomare! s'écria-t-il. Je crois que son argent était ensorcelé!... »

Le banquier leur demanda s'ils voulaient jouer encore; mais, comme ils n'avaient plus d'argent et qu'on fait difficilement crédit à des gens qui s'exposent tous les jours à se faire

---

1. La *veine*, dans le langage des joueurs, est une succession de chances heureuses ou malheureuses. Les gens superstitieux (Mérimée l'était) croient qu'elle s'attache à un joueur; de là la pratique à faire jouer une autre personne à sa place, quand la *veine* est défavorable; 2. *Faire paroli :* laisser sur le tapis la mise engagée et la somme égale payée par le banquier.

145 casser la tête, force leur fut de quitter le jeu et de chercher à
se consoler avec les buveurs. L'âme du pauvre capitaine fut
tout à fait oubliée. (33)

Quelques jours après, les Espagnols, ayant reçu des renforts,
reprirent l'offensive et marchèrent en avant. Ils traversèrent
150 les lieux où l'on s'était battu. Les morts n'étaient pas encore
enterrés. Don Garcia et don Juan pressaient leurs chevaux
pour échapper à ces cadavres qui choquaient à la fois la vue
et l'odorat, lorsqu'un soldat qui les précédait fit un grand cri
à la vue d'un corps gisant dans un fossé. Ils s'approchèrent
155 et reconnurent le capitaine Gomare. Il était pourtant presque
défiguré. Ses traits déformés et roidis dans d'horribles convul-
sions prouvaient que ses derniers moments avaient été accompagnés de douleurs atroces. Bien que déjà familiarisé avec de
tels spectacles, don Juan ne put s'empêcher de frémir en voyant
160 ce cadavre, dont les yeux ternes et remplis de sang caillé semblaient dirigés vers lui d'un air de menace. Il se rappela les
dernières recommandations du pauvre capitaine, et comment
il avait négligé de les exécuter. Pourtant, la dureté factice dont
il était parvenu à remplir son cœur le délivra bientôt de ces
165 remords; il fit promptement creuser une fosse pour ensevelir
le capitaine. Par hasard, un capucin se trouvait là, qui récita
quelques prières à la hâte. Le cadavre, aspergé d'eau bénite,
fut recouvert de pierres et de terre, et les soldats poursuivirent
leur route plus silencieux que de coutume; mais don Juan
170 remarqua un vieil arquebusier qui, après avoir longtemps
fouillé dans ses poches, y trouva enfin un écu, qu'il donna
au capucin en lui disant :

« Voilà pour dire des messes au[1] capitaine Gomare. »

Ce jour-là, don Juan donna des preuves d'une bravoure
175 extraordinaire, et s'exposa au feu de l'ennemi avec si peu de
ménagements qu'on eût dit qu'il voulait se faire tuer.

---

1. Pour le repos de l'âme du capitaine Gomare.

--- **QUESTIONS** ---

**33.** Peut-on prévoir à quel résultat aboutira cette partie de cartes?
Étudiez en détail tous les passages qui décrivent la participation de don
Garcia à cette partie : est-on sûr que sa malchance est le fait du seul
hasard? — A quoi voit-on que don Juan garde un reste d'honnêteté?
Comment s'explique sa faiblesse? Appréciez l'importance de sa dernière
réflexion : en quoi marque-t-elle la rupture avec tout son passé?

« On est brave quand on n'a plus le sou », disaient ses camarades. **(34) (35)**

*[La Mort de don Garcia.]*

Peu de temps après la mort du capitaine Gomare, un jeune soldat fut admis comme recrue dans la compagnie où servaient don Juan et don Garcia; il paraissait décidé et intrépide, mais d'un caractère sournois et mystérieux. Jamais on
5 ne le voyait boire ni jouer avec ses camarades; il passait des heures entières assis sur un banc dans le corps de garde, occupé à regarder voler les mouches, ou bien à faire jouer la détente de son arquebuse. Les soldats, qui le raillaient de sa réserve, lui avaient donné le sobriquet de *Modesto*. C'était sous ce
10 nom qu'il était connu dans la compagnie, et ses chefs mêmes ne lui en donnaient pas d'autre. **(36)**
La campagne finit par le siège de Berg-op-Zoom[1], qui fut, comme on le sait, un des plus meurtriers de cette guerre, les assiégés s'étant défendus avec le dernier acharnement. Une
15 nuit les deux amis se trouvaient ensemble de service à la tranchée,

---

1. *Berg-op-Zoom* (en néerlandais Bergen-op-Zoom) : ville des Pays-Bas (dans le Nord-Brabant, à 35 km au nord de la ville d'Anvers); c'était une des principales places fortes de la frontière sud des Provinces-Unies. Les Espagnols assiégèrent cette ville à plusieurs reprises, mais le plus célèbre de ces sièges est celui de 1622. Or (voir Notice, pages 92-93) don Miguel de Mañara est né en 1627 seulement; s'agit-il, comme le propose Mme Esther Van Loo (*le Vrai Don Juan : don Miguel de Mañara*, Paris, 1950), du siège de 1644, alors que les Pays-Bas espagnols étaient en guerre avec les Provinces-Unies?

---

## QUESTIONS

**34.** Mérimée peintre du macabre : connaissez-vous d'autres nouvelles où se révèle le même réalisme? — Don Juan et le remords : quelles images viennent successivement lui rappeler son devoir? L'importance que peut prendre à ses yeux le geste du vieil arquebusier. — A-t-on une certitude sur les motifs qui expliquent sa témérité au combat?

**35.** Sur l'ensemble de l'épisode intitulé « la Bourse du capitaine Gomare ». — La vie militaire vue par Mérimée : quelles en sont les caractéristiques essentielles? Malgré les allusions historiques assez précises, ce tableau est-il marqué de détails de couleur locale particulièrement significatifs? — Montrez, par comparaison avec d'autres textes, que la vie militaire et la guerre mettent en valeur certains comportements humains.
— Pourquoi fallait-il que don Juan connût l'expérience de la guerre? En quoi ces épisodes étaient-ils nécessaires dans l'enchaînement fatal qui guide la destinée de don Juan?

**36.** Étudiez la façon dont Mérimée excite la curiosité du lecteur dans la présentation de ce nouveau personnage.

alors tellement rapprochée des murailles de la place que
le poste était des plus dangereux. Les sorties des assiégés étaient
fréquentes, et leur feu vif et bien dirigé.

La première partie de la nuit se passa en alertes continuelles ;
20 ensuite assiégés et assiégeants parurent céder également à la
fatigue. De part et d'autre on cessa de tirer, et un profond
silence s'établit dans toute la plaine, ou s'il était interrompu,
ce n'était que par de rares décharges, qui n'avaient d'autre
but que de prouver que si on avait cessé de combattre on conti-
25 nuait néanmoins à faire bonne garde. Il était environ quatre
heures du matin ; c'est le moment où l'homme qui a veillé
éprouve une sensation de froid pénible, accompagné d'une
espèce d'accablement moral, produit par la lassitude physique
et l'envie de dormir. Il n'est aucun militaire de bonne foi qui
30 ne convienne qu'en de pareilles dispositions d'esprit et de
corps il s'est senti capable de faiblesses dont il a rougi après
le lever du soleil.

« Morbleu ! s'écria don Garcia en piétinant pour se réchauffer,
et serrant son manteau autour de son corps, je sens ma moelle
35 se figer dans mes os ; je crois qu'un enfant hollandais me battrait avec une cruche à bière pour toute arme. En vérité, je
ne me reconnais plus. Voilà une arquebusade qui vient de
me faire tressaillir. Ma foi ! si j'étais dévot, il ne tiendrait qu'à
moi de prendre l'étrange état où je me trouve pour un aver-
40 tissement d'en haut. » **(37)**

Tous ceux qui étaient présents, et don Juan surtout, furent
extrêmement surpris de l'entendre parler du ciel, car il ne s'en
occupait guère ; ou s'il en parlait, c'était pour s'en moquer.
S'apercevant que plusieurs souriaient à ces paroles, ranimé
45 par un sentiment de vanité, il s'écria :

« Que personne, au moins, n'aille s'aviser de croire que
j'ai peur des Hollandais, de Dieu ou du diable, car nous
aurions à la garde montante[1] nos comptes à régler ensemble !

---

1. *A la garde montante* : c'est-à-dire quand on viendra nous relever ; don Garcia
veut dire qu'il se battrait alors contre qui soutiendrait qu'il craint Dieu, le diable
ou les Hollandais.

---

**———— QUESTIONS ————**

37. Mérimée veut-il laisser entendre que c'est vraiment un avertissement du Ciel ? L'état physique de don Garcia suffit-il à expliquer ses
impressions ? ou bien l'auteur nous laisse-t-il volontairement dans le
doute ? — Comparez ce passage à l'insomnie et aux sombres idées du
héros de *l'Enlèvement de la redoute* (pages 43-44), la veille de la bataille.

— Passe pour les Hollandais, mais pour Dieu et l'Autre[1], il est bien permis de les craindre, dit un vieux capitaine à moustaches grises, qui portait un chapelet suspendu à côté de son épée.

— Quel mal peuvent-ils me faire? demanda-t-il; le tonnerre ne porte pas aussi juste qu'une arquebuse protestante.

— Et votre âme? dit le vieux capitaine en se signant à cet horrible blasphème.

— Ah! pour mon âme... il faudrait, avant tout, que je fusse bien sûr d'en avoir une. Qui m'a jamais dit que j'eusse une âme? Les prêtres. Or l'invention de l'âme leur rapporte de si beaux revenus, qu'il n'est pas douteux qu'ils n'en soient les auteurs, de même que les pâtissiers ont inventé les tartes pour les vendre.

— Don Garcia, vous finirez mal, dit le vieux capitaine. Ces propos-là ne doivent pas se tenir à la tranchée.

— A la tranchée comme ailleurs, je dis ce que je pense. Mais je me tais, car voici mon camarade don Juan dont le chapeau va tomber, tant ses cheveux se dressent sur sa tête. Lui ne croit pas seulement à l'âme; il croit encore aux âmes du purgatoire.

— Je ne suis point un esprit fort[2], dit don Juan en riant, et j'envie parfois votre sublime indifférence pour les choses de l'autre monde; car, je vous l'avouerai, dussiez-vous vous moquer de moi, il y a des instants où ce que l'on raconte des damnés me donne des rêveries désagréables.

— La meilleure preuve du peu de pouvoir du diable, c'est que vous êtes aujourd'hui debout en cette tranchée. Sur ma parole, messieurs, ajouta don Garcia en frappant sur l'épaule de don Juan, s'il y avait un diable, il aurait déjà emporté ce garçon-là. Tout jeune qu'il est, je vous le donne pour un véritable excommunié. Il a mis plus de femmes à mal et plus d'hommes en bière que deux cordeliers et deux braves de Valence n'auraient pu faire. » **(38)**

---

1. *L'Autre :* périphrase habituelle aux superstitieuses pour désigner le diable, car prononcer son nom pourrait, croient-elles, lui donner prise sur elles; 2. *Esprit fort :* voir page 46, note 3.

---

**■ QUESTIONS** ■

38. La profession de foi de don Garcia : est-ce pure bravade ou conviction profonde? — Lesquels de ses arguments relèvent des critiques habituelles aux libres penseurs? Quel cycle semble bouclé au moment où don Garcia raille la croyance aux *âmes du purgatoire* (lignes 67-68)? Quel rôle le *vieux capitaine à moustaches grises* joue-t-il?

Il parlait encore quand un coup d'arquebuse partit du côté de la tranchée qui touchait au camp espagnol. Don Garcia porta la main sur sa poitrine, et s'écria :

85 « Je suis blessé! »

Il chancela, et tomba presque aussitôt. En même temps on vit un homme prendre la fuite, mais l'obscurité le déroba bientôt à ceux qui le poursuivaient.

La blessure de don Garcia parut mortelle. Le coup avait 90 été tiré de très près, et l'arme était chargée de plusieurs balles. Mais la fermeté de ce libertin endurci ne se démentit pas un instant. Il renvoya bien loin ceux qui lui parlaient de se confesser. Il disait à don Juan :

« Une seule chose me fâche après ma mort, c'est que les 95 capucins vous persuaderont que c'est un jugement de Dieu contre moi. Convenez avec moi qu'il n'y a rien de plus naturel qu'une arquebusade tue un soldat. Ils disent que le coup a été tiré de notre côté; c'est sans doute quelque jaloux rancunier qui m'a fait assassiner. Faites-le pendre haut et court, 100 si vous l'attrapez. Écoutez, don Juan, j'ai deux maîtresses à Anvers, trois à Bruxelles, et d'autres ailleurs que je ne me rappelle guère... ma mémoire se trouble... Je vous les lègue... faute de mieux... Prenez encore mon épée... et surtout n'oubliez pas la botte que je vous ai apprise... Adieu..., et, au lieu de 105 messes, que mes camarades se réunissent dans une glorieuse orgie après mon enterrement. »

Telles furent à peu près ses dernières paroles. De Dieu, de l'autre monde, il ne s'en soucia pas plus qu'il ne l'avait fait étant plein de vie et de force. Il mourut le sourire sur les lèvres, 110 la vanité lui donnant la force de soutenir jusqu'au bout le rôle détestable qu'il avait si longtemps joué. Modesto ne reparut plus. Toute l'armée fut persuadée qu'il était l'assassin de don Garcia; mais on se perdait en vaines conjectures sur les motifs qui l'avaient poussé à ce meurtre. **(39)**

115 Don Juan regretta don Garcia plus qu'il n'aurait fait son frère. Il se disait, l'insensé! qu'il lui devait tout. C'était lui

─────── **QUESTIONS** ───────

**39.** Comment Mérimée dépeint-il l'attitude de don Garcia devant la mort? En quoi se montre-t-il courageux? Pouvait-il d'ailleurs se déjuger au moment de mourir, alors qu'il a raillé la fausse bravoure du capitaine Gomare? Ses derniers conseils à don Juan : comment don Garcia essaiet-il de parachever son œuvre en plaçant irrémédiablement don Juan dans la voie du mal? — Y a-t-il beaucoup à hésiter sur la culpabilité de Modesto? Pourquoi Mérimée laisse-t-il planer une sorte d'incertitude?

qui l'avait initié aux mystères de la vie, qui avait détaché de ses yeux l'écaille épaisse qui les couvrait. « Qu'étais-je avant de le connaître? » se demandait-il, et son amour-propre lui disait qu'il était devenu un être supérieur aux autres hommes. Enfin tout le mal qu'en réalité lui avait fait la connaissance de cet athée, il le changeait en bien, et il en était aussi reconnaissant qu'un disciple doit l'être à l'égard de son maître.

Les tristes impressions que lui laissa cette mort si soudaine demeurèrent assez longtemps dans son esprit pour l'obliger à changer pendant plusieurs mois son genre de vie. Mais peu à peu il revint à ses anciennes habitudes, maintenant trop enracinées en lui pour qu'un accident pût les changer. Il se remit à jouer, à boire, à courtiser les femmes et à se battre avec les maris. Tous les jours il avait de nouvelles aventures. Aujourd'hui montant à une brèche, le lendemain escaladant un balcon; le matin ferraillant avec un mari, le soir buvant avec des courtisanes. **(40) (41)**

*[Le retour à Séville.]*

[Le père et la mère de don Juan sont morts. On a depuis longtemps obtenu sa grâce pour le meurtre du père de doña Fausta. C'est alors que don Juan se décide à revenir à Séville; il y est accueilli avec enthousiasme par tous les libertins, dont il devient le modèle. Plus que jamais, il se laisse aller à tous les débordements. Une plaisanterie impie d'un de ses compagnons, don Torribio, pousse don Juan, par amour-propre, à séduire une religieuse. Don Juan se met à fréquenter les églises des couvents de femmes. Il retrouve, sous l'habit religieux, et sous le nom de sœur Agathe, sa première conquête, doña Teresa, qui l'aime toujours et accepte de se laisser

───────── **QUESTIONS** ─────────

**40.** En quoi la disparition de don Garcia semble-t-elle avoir définitivement assuré le triomphe de son influence? En aboutissant à ce résultat, cette mort ne semble-t-elle pas faire partie d'un plan démoniaque qui s'est réalisé jusqu'au bout? — Est-ce le remords qui détermine don Juan à changer très provisoirement de genre de vie (lignes 124-126)?

**41.** SUR L'ENSEMBLE DE L'ÉPISODE INTITULÉ « LA MORT DE DON GARCIA ». — L'équivoque qui plane depuis le début du récit sur don Garcia est-elle éclaircie par les circonstances de sa mort? Mettez en évidence la cohérence psychologique du personnage : montrez que son influence sur don Juan vient en grande partie de là.

— Comment la présence de don Garcia et les circonstances expliquent-elles la soumission progressive de don Juan? Le caractère de celui-ci n'explique-t-il pas aussi son évolution?

enlever. Don Juan fixe la nuit où cet enlèvement doit avoir lieu et en prépare minutieusement tous les détails.]

[*La Conversion de don Juan.*]

Afin d'éviter les soupçons, don Juan partit pour le château de Maraña deux jours avant celui qu'il avait fixé pour l'enlèvement. C'était dans ce château qu'il avait passé la plus grande partie de son enfance; mais depuis son retour à Séville il n'y
5 était pas entré. Il y arriva à la nuit tombante, et son premier soin fut de bien souper. Ensuite il se fit déshabiller et se mit au lit. Il avait fait allumer dans sa chambre deux grands flambeaux de cire, et sur la table était un livre de contes libertins. Après avoir lu quelques pages, se sentant sur le point de
10 s'endormir, il ferma le livre et éteignit un des flambeaux. Avant d'éteindre le second, il promena avec distraction ses regards par toute la chambre, et tout d'un coup il avisa dans son alcôve le tableau qui représentait les tourments du purgatoire, tableau qu'il avait si souvent considéré dans son enfance[1].
15 Involontairement ses yeux se reportèrent sur l'homme dont un serpent dévorait les entrailles, et, bien que cette représentation lui inspirât alors encore plus d'horreur qu'autrefois, ils ne pouvaient s'en détacher. En même temps il se rappela la figure du capitaine Gomare et les effroyables contorsions que
20 la mort avait gravées sur ses traits[2]. Cette idée le fit tressaillir, et il sentit ses cheveux se hérisser sur sa tête. Cependant, rappelant son courage, il éteignit la dernière bougie, espérant que l'obscurité le délivrerait des images hideuses qui le persécutaient. L'obscurité augmenta encore sa terreur. Ses yeux se
25 dirigeaient toujours vers le tableau qu'il ne pouvait voir; mais il lui était tellement familier qu'il se peignait à son imagination aussi nettement que s'il eût été grand jour. Parfois même il lui semblait que les figures s'éclairaient et devenaient lumineuses, comme si le feu du purgatoire, que l'artiste avait
30 peint, eût été une flamme réelle. Enfin son agitation fut si grande qu'il appela à grands cris ses domestiques pour faire enlever le tableau qui lui causait tant de frayeur. Eux entrés dans sa chambre, il eut honte de sa faiblesse. Il pensa que ses gens se moqueraient de lui s'ils venaient à savoir qu'il avait

---

1. Voir « l'Enfance de don Juan », pages 100-101; 2. Voir « la Bourse du capitaine Gomare », page 130.

« Le comte don Juan de Maraña, répondit le pénitent d'une voix creuse et effrayante. » (Page 140, lignes 110-112.)

Extrait d'un *Recueil de costumes de plusieurs confréries*. - B. N. Cabinet des Estampes.

35 peur d'une peinture. Il se contenta de dire, du son de voix
le plus naturel qu'il pût prendre, que l'on rallumât les bougies
et qu'on le laissât seul. Puis il se remit alors à lire; mais ses
yeux seuls parcouraient le livre, son esprit était au tableau.
En proie à une agitation indicible, il passa ainsi une nuit sans
40 sommeil.

Aussitôt que le jour parut, il se leva à la hâte et sortit pour
aller chasser. L'exercice et l'air frais du matin le calmèrent
peu à peu, et les impressions excitées par la vue du tableau
avaient disparu lorsqu'il rentra dans son château. Il se mit
45 à table et but beaucoup. Déjà il était un peu étourdi lorsqu'il
alla se coucher. Par son ordre un lit lui avait été préparé dans
une autre chambre, et l'on pense bien qu'il n'eut garde d'y
faire porter le tableau; mais il en avait gardé le souvenir, qui
fut assez puissant pour le tenir encore éveillé pendant une
50 partie de la nuit. (42)

Au reste, ces terreurs ne lui inspirèrent pas le repentir de
sa vie passée. Il s'occupait toujours de l'enlèvement qu'il
avait projeté; et, après avoir donné tous les ordres nécessaires
à ses domestiques, il partit seul pour Séville par la grande
55 chaleur du jour afin de n'y arriver qu'à la nuit. Effectivement
il était nuit noire quand il passa près de la tour del Lloro[1],
où un de ses domestiques l'attendait. Il lui remit son cheval,
s'informa si la litière et les mules étaient prêtes[2]. Suivant ses
ordres, elle devait l'attendre dans une rue assez voisine du
60 couvent pour qu'il pût s'y rendre promptement à pied avec
Teresa, et cependant pas assez près pour exciter les soupçons

---

1. Il faut lire *Torre del Oro*; cette « Tour de l'Or », à Séville, est ainsi nommée
à cause de la couleur qu'avaient ses revêtements extérieurs; elle a été élevée par les
Arabes en 1220, sur la rive gauche du Guadalquivir. C'est une énorme tour crénelée
à douze pans, supportant une autre tour plus petite. Mérimée transcrit le nom tel
qu'il l'a entendu prononcer en Andalousie; 2. *Prêtes* pour l'enlèvement de doña
Teresa.

─────── QUESTIONS ───────

42. Étudiez le réalisme psychologique de toute cette page et montrez
que chaque détail a son importance dans le mécanisme de la terreur,
tel qu'il est expliqué ici. Quelles circonstances expliquent qu'un homme
aussi intrépide soit saisi d'un tel effroi? Pourquoi l'image du tableau et
le souvenir de don Gomare se présentent-ils en même temps à son imagination (lignes 12-20)? — Les remèdes utilisés par don Juan pour échapper à sa peur peuvent-ils être efficaces? Comment réussit-il à ne pas perdre
la face vis-à-vis de lui-même et vis-à-vis des autres?

de la ronde, si elle venait à les rencontrer. Tout était prêt,
ses instructions avaient été exécutées à la lettre. Il vit qu'il
avait encore une heure à attendre avant de pouvoir donner le
65 signal convenu à Teresa. Son domestique lui jeta un grand
manteau brun sur les épaules, et il entra seul dans Séville
par la porte de Triana[1], se cachant la figure de manière à n'être
pas reconnu. La chaleur et la fatigue le forcèrent de s'asseoir
sur un banc dans une rue déserte. Là il se mit à siffler et à
70 fredonner des airs qui lui revinrent à la mémoire. De temps
en temps il consultait sa montre et voyait avec chagrin que
l'aiguille n'avançait pas au gré de son impatience... **(43)**. Tout
à coup une musique lugubre et solennelle vint frapper son
oreille. Il distingua d'abord des chants que l'Église a consa-
75 crés aux enterrements. Bientôt une procession tourna le coin
de la rue et s'avança vers lui. Deux longues files de pénitents[2]
portant des cierges allumés précédaient une bière couverte de
velours noir et portée par plusieurs figures habillées à la mode
antique, la barbe blanche et l'épée au côté. La marche était
80 fermée par deux files de pénitents en deuil et portant des
cierges comme les premiers. Tout ce convoi s'avançait lentement et gravement. On n'entendait pas le bruit des pas sur
le pavé, et l'on eût dit que chaque figure glissait plutôt qu'elle
ne marchait. Les plis longs et roides des robes et des man-
85 teaux semblaient aussi immobiles que les vêtements de marbre
des statues. **(44)**

A ce spectacle, don Juan éprouva d'abord cette espèce de
dégoût que l'idée de la mort inspire à un épicurien[3]. Il se leva
et voulut s'éloigner, mais le nombre des pénitents et la pompe
90 du cortège le surprirent et piquèrent sa curiosité. La procession

---

1. La *porte de Triana* se trouve sur la rive gauche du Guadalquivir ; elle est sur
la voie qui conduit à Triana (*Trajana* dans l'Antiquité), faubourg ouvrier de Séville ;
2. *Pénitents :* membres de confréries religieuses qui assistent en robe blanche, noire
ou grise aux processions et aux enterrements ; 3. *Épicurien* est pris ici dans son sens
vulgaire : « qui aime la vie et les plaisirs matériels ».

───── **QUESTIONS** ─────

**43.** Dans quel état moral et psychologique se trouve don Juan à ce
moment ? — Comparez ce passage avec la scène IX de l'acte IV de *Loren-
zaccio*. Comment le dramaturge et le prosateur ont-ils tiré parti d'une
situation analogue ?

**44.** Vision ou réalité ? Relevez dans cette description les détails qui
créent l'équivoque. Est-il possible qu'il s'agisse d'un fait réel dont les
apparences prennent un aspect étrange aux yeux de don Juan ?

se dirigeant vers une église voisine dont les portes venaient de
s'ouvrir avec bruit, don Juan arrêta par la manche une
des figures qui portaient des cierges et lui demanda poliment
quelle était la personne qu'on allait enterrer. Le pénitent leva
95 la tête : sa figure était pâle et décharnée comme celle d'un
homme qui sort d'une longue et douloureuse maladie. Il
répondit d'une voix sépulcrale :

« C'est le comte don Juan de Maraña. »

Cette étrange réponse fit dresser les cheveux sur la tête de
100 don Juan; mais l'instant d'après il reprit son sang-froid et
se mit à sourire.

« J'aurai mal entendu, se dit-il, ou ce vieillard se sera
trompé. »

Il entra dans l'église en même temps que la procession.
105 Les chants funèbres recommencèrent, accompagnés par le son
éclatant de l'orgue; et des prêtres vêtus de chapes de deuil
entonnèrent le *De profundis*[1]. Malgré ses efforts pour paraître
calme, don Juan sentit son sang se figer. S'approchant d'un
autre pénitent, il lui dit :

110 « Quel est donc le mort que l'on enterre? — Le comte don
Juan de Maraña, » répondit le pénitent d'une voix creuse et
effrayante. Don Juan s'appuya contre une colonne pour ne
pas tomber. Il se sentait défaillir, et tout son courage l'avait
abandonné. Cependant le service continuait, et les voûtes de
115 l'église grossissaient encore les éclats de l'orgue et des voix
qui chantaient le terrible *Dies irae*[2]. Il lui semblait entendre
les chœurs des anges au jugement dernier. Enfin, faisant un
effort, il saisit la main d'un prêtre qui passait près de lui. Cette
main était froide comme du marbre.

120 « Au nom du ciel! mon père, s'écria-t-il, pour qui priez-
vous ici, et qui êtes-vous?

— Nous prions pour le comte don Juan de Maraña, répondit
le prêtre en le regardant fixement avec une expression de douleur. Nous prions pour son âme, qui est en péché mortel,
125 et nous sommes des âmes que les messes et les prières de sa
mère ont tirées des flammes du purgatoire. Nous payons au
fils la dette de la mère; mais cette messe, c'est la dernière

---

1. *De Profundis* (« Du fond de l'abîme j'ai crié vers toi, Seigneur ») : début
du sixième des psaumes de la pénitence, que l'on récite dans les prières pour les
morts; 2. *Dies irae* (jour de colère) : premiers mots et titre d'une des quatre proses
du *Missel romain* que l'on chante à l'office des morts.

qu'il nous est permis de dire pour l'âme du comte don Juan
de Maraña. »

130     En ce moment l'horloge de l'église sonna un coup : c'était
l'heure fixée pour l'enlèvement de Teresa.

    « Le temps est venu, s'écria une voix qui partait d'un angle
obscur de l'église, le temps est venu! est-il à nous? »

    Don Juan tourna la tête et vit une apparition horrible.
135 Don Garcia, pâle et sanglant, s'avançait avec le capitaine
Gomare, dont les traits étaient encore agités d'horribles convul-
sions. Ils se dirigèrent tous deux vers la bière, et don Garcia,
en jetant le couvercle à terre avec violence, répéta : « Est-il
à nous? » En même temps un serpent gigantesque s'éleva
140 derrière lui, et, le dépassant de plusieurs pieds, semblait prêt
à s'élancer dans la bière... Don Juan s'écria : « Jésus! » et
tomba évanoui sur le pavé. **(45)**

    La nuit était fort avancée lorsque la ronde qui passait aper-
çut un homme étendu sans mouvement à la porte d'une église.
145 Les archers s'approchèrent, croyant que c'était le cadavre
d'un homme assassiné. Ils reconnurent aussitôt le comte de
Maraña, et ils essayèrent de le ranimer en lui jetant de l'eau
fraîche au visage; mais voyant qu'il ne reprenait pas connaissance, ils le portèrent à sa maison. Les uns disaient qu'il était
150 ivre, d'autres qu'il avait reçu quelque bastonnade d'un mari
jaloux. Personne, ou du moins pas un homme honnête, ne
l'aimait à Séville, et chacun disait son mot. L'un bénissait le
bâton qui l'avait si bien étourdi, l'autre demandait combien
de bouteilles pouvaient tenir dans cette carcasse sans mou-
155 vement. Les domestiques de don Juan reçurent leur maître
des mains des archers et coururent chercher un chirurgien.
On lui fit une abondante saignée, et il ne tarda pas à reprendre
ses sens. D'abord il ne fit entendre que des mots sans suite,
des cris inarticulés, des sanglots et des gémissements. Peu à

──────── **QUESTIONS** ────────

**45.** La progression des effets fantastiques : quel rapport y a-t-il entre
cette progression et l'émotion de don Juan? Quelles indications pouvaient
suggérer qu'il s'agit d'une hallucination? Comment pourrait-on expliquer notamment l'impression que *cette main était froide comme du marbre*
(lignes 118-119)? — Rapprochez cette scène de la terreur qui s'est emparée
de don Juan au cours des deux nuits précédentes : quels événements se
sont produits entre-temps? Ont-ils pu contribuer à calmer le trouble du
personnage? — La dernière vision (lignes 135-141) : de quels éléments
est-elle formée? Quel est le sens de la question posée par don Garcia et
le capitaine Gomare?

160 peu il parut considérer avec attention tous les objets qui
l'environnaient. Il demanda où il était, puis ce qu'étaient
devenus le capitaine Gomare, don Garcia et la procession.
Ses gens le crurent fou. Cependant, après avoir pris un cordial,
il se fit apporter un crucifix et le baisa quelque temps en répan-
165 dant un torrent de larmes. Ensuite il ordonna qu'on lui amenât
un confesseur. **(46) (47)**

[*La Nouvelle Vie de don Juan.*]

La surprise fut générale, tant son impiété était connue.
Plusieurs prêtres, appelés par ses gens, refusèrent de se rendre
auprès de lui, persuadés qu'il leur préparait quelque méchante
plaisanterie. Enfin, un moine dominicain[1] consentit à le voir.
5 On les laissa seuls, et don Juan s'étant jeté à ses pieds, lui
raconta la vision qu'il avait eue; puis il se confessa. En faisant
le récit de chacun de ses crimes, il s'interrompait pour demander s'il était possible qu'un aussi grand pécheur que lui obtînt
jamais le pardon céleste. Le religieux répondait que la misé-
10 ricorde de Dieu était infinie. Après l'avoir exhorté à persévérer

---

1. *Dominicain* : religieux de l'ordre de saint Dominique (né en Castille en 1170
et mort à Bologne, Italie, en 1221), qui fonda à Toulouse l'ordre qui porte son nom
pour lutter contre l'hérésie albigeoise. On appelle aussi les dominicains *frères prê-
cheurs* (à Paris, oh les appelait *jacobins*); ils se consacrent surtout à la prédication.

— **QUESTIONS** —

46. Le contraste de ce passage avec les précédents : quelle indication
importante est donnée par la place à laquelle on retrouve don Juan
(ligne 144)? — Les suppositions faites par les gens sur les causes de cette
aventure sont-elles absolument fausses? — Quel sentiment transforme
don Juan? Est-ce seulement la peur?

47. SUR L'ENSEMBLE DE L'ÉPISODE INTITULÉ : « LA CONVERSION DE DON
JUAN ». — La composition de cet épisode : comment est ménagée la
progression, étape par étape, de cette étude de la peur? Étudiez la façon
dont l'auteur rend compte de la psychologie de son personnage : se
contente-t-il d'un exposé « objectif » des faits? Prend-il à son compte
les sensations de son personnage? Qu'en résulte-t-il sur la façon dont le
lecteur participe à l'action?
— Les caractères de la vision : comment s'y entremêlent toutes les
formes de sensations? La couleur espagnole (pensez à un tableau comme
l'*Enterrement du comte d'Orgaz*, du Greco (voir page 151), ou aux
processions des pénitents de la semaine sainte, particulièrement à Séville?
— Le sens de la vision : à supposer qu'elle ne soit qu'une hallucination, cette lutte entre les puissances du Mal et les âmes du purgatoire
ne correspond-elle pas à un conflit profond dans la conscience de don
Juan?

dans son repentir et lui avoir donné les consolations que la
religion ne refuse pas aux plus grands criminels, le dominicain se retira, en lui promettant de revenir le soir. Don Juan
passa toute la journée en prières. Lorsque le dominicain revint,
15 il lui déclara que sa résolution était prise de se retirer d'un
monde où il avait donné tant de scandale, et de chercher à
expier dans les exercices de la pénitence les crimes énormes
dont il s'était souillé. Le moine, touché de ses larmes, l'encou-
ragea de son mieux, et, pour reconnaître s'il aurait le courage
20 de suivre sa détermination, il lui fit un tableau effrayant des
austérités du cloître. Mais à chaque mortification qu'il décrivait,
don Juan s'écriait que ce n'était rien, et qu'il méritait des
traitements bien plus rigoureux.

Dès le lendemain il fit don de la moitié de sa fortune à ses
25 parents, qui étaient pauvres; il en consacra une autre partie
à fonder un hôpital et à bâtir une chapelle[1]; il distribua des
sommes considérables aux pauvres et fit dire un grand nombre
de messes pour les âmes du purgatoire, surtout pour celles
du capitaine Gomare et des malheureux qui avaient succombé
30 en se battant en duel contre lui. Enfin il assembla tous ses
amis, et s'accusa devant eux des mauvais exemples qu'il leur
avait donnés si longtemps; il leur peignit d'une manière pathétique les remords que lui causait sa conduite passée, et les
espérances qu'il osait concevoir pour l'avenir. Plusieurs de ces
35 libertins furent touchés, et s'amendèrent; d'autres, incorri-
gibles, le quittèrent avec de froides railleries. **(48)**

Avant d'entrer dans le couvent qu'il avait choisi pour retraite,
don Juan écrivit à doña Teresa. Il lui avouait ses projets honteux, lui racontait sa vie, sa conversion, et lui demandait son
40 pardon, l'engageant à profiter de son exemple et à chercher
son salut dans le repentir. Il confia cette lettre au dominicain
après lui en avoir montré le contenu.

La pauvre Teresa avait longtemps attendu dans le jardin
du couvent le signal convenu; après avoir passé plusieurs

---

1. Il s'agit (voir Notice, page 89) de l'hôpital de la Charité, à Séville, et de sa
chapelle. (Voir aussi l'illustration page 96.)

■■■■■ **QUESTIONS** ■■■■■

**48.** Le repentir de don Juan et son élan vers la sainteté sont-ils surpre-
nants, après la vie peu édifiante qu'il a menée? Quel trait de son caractère peut justifier une telle métamorphose? N'y a-t-il pas dans les légendes
hagiographiques des histoires semblables? — Mérimée sait-il prendre le
ton du roman édifiant?

45 heures dans une indicible agitation, voyant que l'aube allait paraître, elle rentra dans sa cellule, en proie à la plus vive douleur. Elle attribuait l'absence de don Juan à mille causes toutes bien éloignées de la vérité. Plusieurs jours se passèrent de la sorte, sans qu'elle reçût de ses nouvelles et sans qu'aucun
50 message vînt adoucir son désespoir. Enfin le moine, après avoir conféré avec la supérieure, obtint la permission de la voir, et lui remit la lettre de son séducteur repentant. Tandis qu'elle la lisait, on voyait son front se couvrir de grosses gouttes de sueur ; tantôt elle devenait rouge comme le feu, tantôt pâle
55 comme la mort. Elle eut pourtant le courage d'achever cette lecture. Le dominicain alors essaya de lui peindre le repentir de don Juan, et de la féliciter d'avoir échappé au danger épouvantable qui les attendait tous les deux, si leur projet n'eût pas avorté par une intervention évidente de la Providence.
60 Mais, à toutes ces exhortations, doña Teresa s'écriait : « Il ne m'a jamais aimée ! » Une fièvre ardente s'empara de cette malheureuse ; en vain les secours de l'art[1] et de la religion lui furent prodigués : elle repoussa les uns et parut insensible aux autres. Elle expira au bout de quelques jours en répétant
65 toujours : « Il ne m'a jamais aimée ! » **(49)**

Don Juan, ayant pris l'habit de novice[2], montra que sa conversion était sincère. Il n'y avait pas de mortifications ou de pénitences qu'il ne trouvât trop douces ; et le supérieur du couvent était souvent obligé de lui ordonner de mettre des
70 bornes aux macérations[3] dont il tourmentait son corps. Il lui représentait qu'ainsi il abrégerait ses jours, et qu'en réalité, il y avait plus de courage à souffrir longtemps des mortifications modérées qu'à finir tout d'un coup sa pénitence en s'ôtant la vie. Le temps du noviciat expiré, don Juan prononça ses

---

**1.** *Les secours de l'art :* ceux de la médecine ; **2.** *Novice :* celui qui a pris nouvellement l'habit religieux et se met à l'épreuve quelque temps avant d'entrer définitivement en religion ; **3.** *Macérations :* mortifications par jeûnes, privations, flagellations, et autres austérités.

---

### ——— QUESTIONS ———

**49.** Dans quel autre genre de roman a-t-on l'impression de passer ? Étudiez le style de ce passage : ne croirait-on pas retrouver le ton de certains passages de Mme de La Fayette ou des *Lettres de la religieuse portugaise ?* — L'intensité tragique de cet épisode : quelle ironie du sort dresse un obstacle infranchissable entre doña Teresa et don Juan ? — Quelle est l'attitude de Mérimée devant la mort de Teresa ? Est-elle une victime de don Juan ? Qui est responsable de sa mort ? — Connaissez-vous, dans l'œuvre de Mérimée, d'autres personnages féminins aussi passionnés ?

5 vœux, et continua, sous le nom de frère Ambroise, à édifier
toute la maison par son austérité. Il portait une haire[1] de crin
de cheval par-dessous sa robe de bure; une espèce de boîte
étroite, moins longue que son corps, lui servait de lit. Des
légumes cuits à l'eau composaient toute sa nourriture, et ce
30 n'était que les jours de fête, et sur l'ordre exprès de son supérieur, qu'il consentait à manger du pain. Il passait la plus
grande partie des nuits à veiller et à prier, les bras étendus
en croix; enfin il était l'exemple de cette dévote communauté,
comme autrefois il avait été le modèle des libertins de son
35 âge. Une maladie épidémique, qui s'était déclarée à Séville,
lui fournit l'occasion d'exercer les vertus nouvelles que sa
conversion lui avait données. Les malades étaient reçus dans
l'hôpital qu'il avait fondé; il soignait les pauvres, passait les
journées auprès de leurs lits, les exhortant, les encourageant,
90 les consolant. Tel était le danger de la contagion, que l'on ne
pouvait trouver, à prix d'argent, des hommes qui voulussent
ensevelir les morts[2]. Don Juan remplissait ce ministère; il
allait dans les maisons abandonnées, et donnait la sépulture
aux cadavres en dissolution, qui souvent s'y trouvaient depuis
95 plusieurs jours. Partout on le bénissait, et comme pendant
cette terrible épidémie il ne fut jamais malade, quelques gens
crédules assurèrent que Dieu avait fait un nouveau miracle
en sa faveur. **(50) (51)**

*[Le Dernier Meurtre de don Juan.]*

Déjà, depuis plusieurs années, don Juan, ou frère Ambroise,
habitait le cloître, et sa vie n'était qu'une suite non interrompue
d'exercices de piété et de mortifications. Le souvenir de sa vie
passée était toujours présent à sa mémoire, mais ses remords

---

**1.** *Haire* : chemise de crin que l'on porte sur la peau pour se mortifier (voir Molière,
*Tartuffe*, III, II); **2.** Il semble que dans ce passage Mérimée se souvienne de sa propre
expérience; lors du choléra de 1832, il avait fréquenté les hôpitaux, en qualité de
secrétaire d'un ministre, et avait pu suivre la marche de la maladie.

─────── **QUESTIONS** ───────

**50.** La place de ce développement dans l'ensemble du récit : à quel
ton revient-on? Analysez les raisons qui ont pu déterminer l'auteur à
placer ici ce paragraphe. — Comment Mérimée montre-t-il que don
Juan atteint à la sainteté? Peut-on relever cependant des traits ironiques?

**51.** SUR L'ENSEMBLE DE L'ÉPISODE INTITULÉ : « LA NOUVELLE VIE DE DON
JUAN ». — La composition de ce passage : quel effet de contraste est
fortement marqué? Le sort de doña Teresa est-il plus tragique que celui
d'Elvire dans le *Dom Juan* de Molière?

5 étaient déjà tempérés par la satisfaction de conscience que lui
donnait son changement.

Un jour, après midi, au moment où la chaleur se fait sentir
avec plus de force, tous les frères du couvent goûtaient quelque
repos, suivant l'usage. Le seul frère Ambroise travaillait dans
10 le jardin, tête nue, au soleil, c'était une des pénitences qu'il
s'était imposées. Courbé sur sa bêche, il vit l'ombre d'un
homme qui s'arrêtait auprès de lui. Il crut que c'était un des
moines qui était descendu au jardin, et tout en continuant sa
tâche, il le salua d'un *Ave Maria*[1]. Mais on ne répondit pas.
15 Surpris de voir cette ombre immobile, il leva les yeux et aperçut
debout, devant lui, un grand jeune homme couvert d'un manteau qui tombait jusqu'à terre et la figure à demi cachée par
un chapeau ombragé d'une plume blanche et noire. Cet homme
le contemplait en silence avec une expression de joie maligne
20 et de profond mépris. Ils se regardèrent fixement tous les deux
pendant quelques minutes. Enfin l'inconnu, avançant d'un pas
et relevant son chapeau pour montrer ses traits, lui dit :

« Me reconnaissez-vous? »

Don Juan le considéra avec plus d'attention, mais ne le
25 reconnut pas.

« Vous souvenez-vous du siège de Berg-op-Zoom? demanda
l'inconnu. Avez-vous oublié un soldat nommé Modesto?... »

Don Juan tressaillit. L'inconnu poursuivit froidement...

« Un soldat nommé Modesto, qui tua d'un coup d'arque-
30 buse votre digne ami don Garcia, au lieu de vous qu'il visait?...
Modesto! c'est moi. J'ai encore un autre nom, don Juan :
je me nomme don Pedro de Ojeda; je suis le fils de don Alonso
de Ojeda que vous avez tué; — je suis le frère de doña Teresa
de Ojeda que vous avez tuée.

35 — Mon frère, dit don Juan en s'agenouillant devant lui,
je suis un misérable couvert de crimes. C'est pour les expier
que je porte cet habit et que j'ai renoncé au monde. S'il est
quelque moyen d'obtenir de vous mon pardon, indiquez-le-
moi. La plus rude pénitence ne m'effrayera pas si je puis obte-
40 nir que vous ne me maudissiez point. » **(52)**

---

1. *Ave Maria* (« Je vous salue Marie ») : début d'une prière à la Vierge.

─────── **QUESTIONS** ───────────────────

**52.** Quel événement justifie la réapparition de Modesto? — Est-ce
une surprise d'apprendre que c'est don Juan qu'avait visé Modesto?
Quelle signification prend, après coup, la mort de don Garcia?

Don Pedro sourit amèrement[1].

« Laissons-là l'hypocrisie, seigneur de Maraña : je ne pardonne pas. Quant à mes malédictions, elles vous sont acquises. Mais je suis trop impatient pour en attendre l'effet. Je porte sur moi quelque chose de plus efficace que des malédictions. »

A ces mots, il jeta son manteau et montra qu'il tenait deux longues rapières[2] de combat. Il les tira du fourreau et les planta en terre toutes les deux.

« Choisissez, don Juan, dit-il. On dit que vous êtes un grand spadassin[3], je me pique d'être adroit à l'escrime. Voyons ce que vous savez faire. »

Don Juan fit le signe de la croix et dit :

« Mon frère, vous oubliez les vœux que j'ai prononcés. Je ne suis plus le don Juan que vous avez connu, je suis le frère Ambroise.

— Eh bien! frère Ambroise, vous êtes mon ennemi, et quelque nom que vous portiez, je vous hais et je veux me venger de vous. »

Don Juan se remit devant lui à genoux.

« Si c'est ma vie que vous voulez prendre, mon frère, elle est à vous. Châtiez-moi comme vous le désirez.

— Lâche hypocrite! me crois-tu ta dupe? Si je voulais te tuer comme un chien enragé, me serais-je donné la peine d'apporter ces armes? Allons, choisis promptement et défends ta vie.

— Je vous le répète, mon frère, je ne puis combattre, mais je puis mourir.

— Misérable! s'écria don Pedro en fureur, on m'avait dit que tu avais du courage. Je vois que tu n'es qu'un vil poltron!

— Du courage, mon frère? Je demande à Dieu qu'il m'en donne pour ne pas m'abandonner au désespoir où me jetterait, sans son secours, le souvenir de mes crimes. Adieu, mon frère : je me retire, car je vois bien que ma vue vous aigrit[4]. Puisse mon repentir vous paraître un jour aussi sincère qu'il l'est en réalité! »

---

1. Cette scène fait un peu penser à la scène III de l'acte V du *Dom Juan* de Molière, où Don Carlos demande une dernière fois à Don Juan d'épouser sa sœur Elvire, et où, devant son refus hypocrite (« J'obéis à la voix du Ciel »), il le provoque en duel. Mais le Don Juan de Molière ne refuse point le duel. Rien ne permet ici d'affirmer que Mérimée ait une arrière-pensée; 2. *Rapière* : longue épée de duel à lame fine; 3. *Spadassin* : homme qui recherche les duels, bretteur, ferrailleur. Le terme est défavorable; 4. *Aigrir* : irriter, mettre de mauvaise humeur (sens classique).

Il faisait quelques pas pour quitter le jardin lorsque don Pedro l'arrêta par la manche.

« Vous ou moi, s'écria-t-il, nous ne sortirons pas vivants d'ici. Prenez une de ces épées, car le diable m'emporte si je crois un mot de toutes vos jérémiades! »

80

Don Juan lui jeta un regard suppliant, et fit encore un pas pour s'éloigner; mais don Pedro le saisissant avec force et le tenant par le collet :

« Tu crois donc, meurtrier infâme, que tu pourras te tirer de mes mains! Non! je vais mettre en pièces ta robe hypocrite qui cache le pied fourchu du diable, et alors, peut-être, te sentiras-tu assez de cœur pour te battre avec moi. »

85

En parlant ainsi, il le poussait rudement contre la muraille.

« Seigneur Pedro de Ojeda, s'écria don Juan, tuez-moi, si vous le voulez, je ne me battrai pas! » Et il croisa les bras, regardant fixement don Pedro d'un air calme, quoique assez fier.

90

« Oui, je te tuerai, misérable! mais avant je te traiterai comme un lâche que tu es. »

Et il lui donna un soufflet, le premier que don Juan eût jamais reçu. Le visage de don Juan devint d'un rouge pourpre. La fierté et la fureur de sa jeunesse rentrèrent dans son âme. Sans dire un mot, il s'élança vers une des épées et s'en saisit. Don Pedro prit l'autre et se mit en garde. Tous les deux s'attaquèrent avec fureur et se fendirent[1] l'un sur l'autre à la fois et avec la même impétuosité. L'épée de don Pedro se perdit dans la robe de laine de don Juan et glissa à côté du corps sans le blesser, tandis que celle de don Juan s'enfonça jusqu'à la garde dans la poitrine de son adversaire. Don Pedro expira sur-le-champ. Don Juan, voyant son ennemi étendu à ses pieds, demeura quelque temps immobile à le contempler d'un air stupide. Peu à peu, il revint à lui et reconnut la grandeur de son nouveau crime.

95

100

105

Il se précipita sur le cadavre et essaya de le rappeler à la vie. Mais il avait vu trop de blessures pour douter un moment que celle-là ne fût mortelle. L'épée sanglante était à ses pieds et semblait s'offrir à lui pour qu'il se punît lui-même; mais, écartant bien vite cette nouvelle tentation du démon, il courut chez le supérieur et se précipita tout effaré dans sa cellule. Là, prosterné à ses pieds, il lui raconta cette terrible scène en

110

---

1. *Se fendre* : porter vivement la jambe droite en avant, en laissant le pied gauche en place (terme d'escrime).

versant un torrent de larmes. D'abord, le supérieur ne voulut pas le croire et sa première idée fut que les grandes macérations que s'imposait le frère Ambroise lui avaient fait perdre la raison. Mais le sang qui couvrait la robe et les mains de don Juan ne lui permit pas de douter plus longtemps de l'horrible vérité. C'était un homme rempli de présence d'esprit. Il comprit aussitôt tout le scandale qui rejaillirait sur le couvent si cette aventure venait à se répandre dans le public. Personne n'avait vu le duel. Il s'occupa de le cacher aux habitants mêmes du couvent. Il ordonna à don Juan de le suivre, et, aidé par lui, transporta le cadavre dans une salle basse dont il prit la clef. Ensuite, enfermant don Juan dans sa cellule, il sortit pour aller prévenir le corrégidor. **(53)**

On s'étonnera peut-être que don Pedro, qui avait déjà essayé de tuer don Juan en trahison, ait rejeté la pensée d'un second assassinat, et cherché à se défaire de son ennemi dans un combat à armes égales; mais ce n'était de sa part qu'un calcul de vengeance infernale. Il avait entendu parler des austérités de don Juan, et sa réputation de sainteté était si répandue, que don Pedro ne doutait point que s'il l'assassinait, il ne l'envoyât tout droit dans le ciel. Il espéra qu'en le provoquant et l'obligeant à se battre, il le tuerait en péché mortel, et perdrait ainsi son corps et son âme. On a vu comment ce dessein diabolique tourna contre son auteur. **(54) (55)**

---

### QUESTIONS

**53.** D'où vient le contraste entre l'attitude de don Juan et celle du supérieur? A quel plan de l'existence revient-on avec les soucis d'ordre pratique manifestés par le supérieur? — Comment s'expliquer que don Juan prête la main au plan du supérieur?

**54.** Est-il fréquent que le narrateur intervienne aussi directement pour « expliquer la conscience » d'un de ses personnages? Pourquoi se le permet-il à quelques lignes de la fin de son récit? A quelle objection possible du lecteur répond-il? — L'ironie de Mérimée : en quoi force-t-il le caractère « espagnol » de son personnage? N'est-ce pas en même temps tous ses personnages qu'il remet en question? A-t-on déjà vu souvent les adjectifs *infernal* (ligne 132) et *diabolique* (ligne 138) au cours du récit?

**55.** Sur l'ensemble de l'épisode intitulé « le Dernier Meurtre de don Juan ». — La composition dramatique de l'épisode : analysez le mouvement de la scène qui met en présence don Juan et don Pedro; comment Pedro obtient-il de don Juan le duel qu'il cherche?

— L'attitude de don Juan : sa piété n'était-elle qu'hypocrisie? Pourquoi Mérimée a-t-il imaginé ce dernier épisode qui, finalement, ne change rien à la destinée de don Juan?

[*La Fin de don Juan.*]

Il ne fut pas difficile d'assoupir l'affaire. Le corrégidor s'entendit avec le supérieur du couvent pour détourner les soupçons. Les autres moines crurent que le mort avait succombé dans un duel avec un cavalier[1] inconnu, et qu'il avait été porté
5 blessé dans le couvent, où il n'avait pas tardé à expirer. Quant à don Juan, je n'essayerai de peindre ni ses remords ni son repentir. Il accomplit avec joie toutes les pénitences que le supérieur lui imposa. Pendant toute sa vie, il conserva, suspendue au pied de son lit, l'épée dont il avait percé don Pedro,
10 et jamais il ne la regardait sans prier pour son âme et pour celles de sa famille. Afin de mater le reste d'orgueil mondain qui demeurait encore dans son cœur, l'abbé lui avait ordonné de se présenter chaque matin au cuisinier du couvent, qui devait lui donner un soufflet. Après l'avoir reçu, le frère Ambroise
15 ne manquait jamais de tendre l'autre joue, en remerciant le cuisinier de l'humilier ainsi. Il vécut encore dix années dans ce cloître, et jamais sa pénitence ne fut interrompue par un retour aux passions de sa jeunesse. Il mourut vénéré comme un saint, même par ceux qui avaient connu ses premiers dépor-
20 tements. Sur son lit de mort, il demanda comme une grâce qu'on l'enterrât sous le seuil de l'église, afin qu'en y entrant chacun le foulât aux pieds. Il voulut encore que sur son tombeau on gravât cette inscription : *Ci-gît le pire homme qui fut au monde*[2]. Mais on ne jugea pas à propos d'exécuter toutes
25 les dispositions dictées par son excessive humilité. Il fut enseveli auprès du maître-autel de la chapelle qu'il avait fondée. On consentit, il est vrai, à graver sur la pierre qui couvre sa dépouille mortelle l'inscription qu'il avait composée, mais on y ajouta un récit et un éloge de sa conversion. Son hôpital
30 et, surtout, la chapelle où il est enterré sont visités par tous les étrangers qui passent à Séville. Murillo a décoré la chapelle de plusieurs de ses chefs-d'œuvre. *Le Retour de l'Enfant prodigue* et *la Piscine de Jéricho*, qu'on admire maintenant dans la galerie de M. le maréchal Soult[3], ornaient autrefois
35 les murailles de l'hôpital de la Charité. **(56) (57)**

---

1. *Cavalier :* ici, gentilhomme (voir page 116, note 2); 2. Cette inscription *(Aqui yace el peor hombre que fué en el mundo)*, comme tous les autres détails qui concernent la fin de la vie de don Juan, est historique (voir Notice, page 89); 3. Le *maréchal Soult*, en 1810, avait été général en chef de l'armée d'Espagne. Il avait été aussi gouverneur de l'Andalousie. Il avait rapporté une collection de tableaux célèbres, dont de remarquables Murillo.

**━━ QUESTIONS ━━**

**56.** SUR L'ÉPISODE INTITULÉ « LA FIN DE DON JUAN ». — Le ton et le style de cet épilogue : le chroniqueur, malgré son apparente objectivité, ne laisse-t-il pas transparaître son ironie? — Quel effet produit l'allusion finale au tableau de Murillo?

**57.** SUR L'ENSEMBLE DE LA NOUVELLE « LES ÂMES DU PURGATOIRE ». — La composition de la nouvelle : quel cadre traditionnel utilise le narrateur? Peut-on découvrir des effets de symétrie dans l'architecture de l'ensemble?

— La couleur locale et le cadre historique : quelle vérité le personnage de don Juan prend-il?

— Dans quelle mesure Mérimée reste-t-il fidèle aux éléments traditionnels de la légende de don Juan? Évaluez la part de ses inventions (personnages et événements).

— L'interprétation du personnage de don Juan : quelle ambiguïté l'auteur laisse-t-il à son héros? Citez d'autres personnages dont la personnalité reste aussi sujette à équivoque. Comment l'ironie de Mérimée contribue-t-elle à cet effet? De quelle façon le lecteur participe-t-il aux aventures qu'on lui raconte?

— Réalisme et fantastique dans *les Âmes du purgatoire*.

Phot. Giraudon.

**L'ENTERREMENT DU COMTE D'ORGAZ**
Tableau du Greco. Eglise San Tomé de Tolède.
(Voir page 142, question **47.**)

## DOCUMENTATION THÉMATIQUE
réunie par la Rédaction des Nouveaux Classiques Larousse

# 1. UN BRIGAND FAMEUX.

Mérimée nous propose *l'Histoire de Rondino,* dont le personnage principal est à rapprocher du bandit corse de *Mateo Falcone.*

Il se nommait Rondino. Orphelin dès son enfance, il fut laissé aux soins de son oncle, bailli de son village, homme avare, qui le traitait fort mal. Quand il fut d'âge à tirer pour la milice, le bailli disait publiquement :

— J'espère que Rondino sera soldat, et que le pays en sera débarrassé. Ce garçon-là ne peut tourner à bien. Tôt ou tard, il sera le déshonneur de sa famille. Certainement, il finira par être pendu.

On prétend que la haine de cet homme pour Rondino avait un motif honteux. Son neveu avait fait un petit héritage que le bailli administrait, et dont il n'était pas pressé de rendre compte. Quoi qu'il en soit, le sort désigna Rondino pour être conscrit, et il quitta son village, persuadé que son oncle avait organisé dans le tirage une supercherie dont il était la victime. Arrivé à son régiment, il manquait souvent à l'appel, et montrait tant d'insubordination qu'on l'envoya dans un bataillon de discipline. Il parut extrêmement touché de cette punition, jura de changer de conduite et tint parole. Au bout de quelques mois, il fut rappelé au régiment. Dès lors, ses devoirs de soldat furent remplis avec exactitude, et il mit tous ses soins à se faire distinguer de ses chefs. Il savait lire et écrire ; il était fort intelligent. En peu de temps on le fit caporal, puis sergent. Un jour, son colonel lui dit :

— Rondino, votre temps de service va finir ; mais je compte que vous resterez avec nous ?

— Non, mon colonel, je désire retourner dans mon pays.

— Vous auriez tort. Vous êtes bien ici. Vos officiers et vos camarades vous estiment. Vous voilà sergent ; et, si vous continuez à vous bien conduire, vous serez bientôt sergent-major. En restant au régiment, vous avez un sort tout fait ; au lieu que si vous retournez dans votre village, vous mourrez de faim ou bien vous serez à charge à vos parents.

— Mon colonel, j'ai un peu de bien dans mon pays...

— Vous vous trompez. Votre oncle m'écrit qu'il a fait pour votre éducation des dépenses dont vous ne pourrez jamais le rembourser. D'ailleurs, si vous saviez ce qu'il pense de vous, vous ne seriez pas pressé de retourner auprès de lui. Il m'écrit de vous retenir par tous les moyens possibles : il dit que vous êtes un vaurien, que tout le monde vous déteste, et que pas un fermier du pays ne voudra vous donner de l'ouvrage.

— Il a dit cela !

— J'ai sa lettre.

— N'importe ! Je veux revoir mon pays.

Il fallut lui donner son congé : on l'accompagna de certificats honorables.

Rondino se rendit aussitôt chez son oncle le bailli, lui reprocha son injustice et lui demanda fort insolemment de lui rendre son bien, qu'il retenait à son préjudice. Le bailli répliqua, s'emporta, produisit des comptes embrouillés, et la discussion s'échauffa au point qu'il frappa Rondino. Celui-ci lui porta aussitôt un coup de stylet, et l'étendit mort sur la place. Le meurtre commis, il quitta le village et demanda un asile à un de ses amis qui habitait une métairie isolée au milieu des montagnes.

Bientôt, trois gendarmes partirent pour l'y chercher. Rondino les attendit dans un chemin creux, en tua un, en blessa un autre, et le troisième prit la fuite. Depuis la persécution des carbonari, les gendarmes ne sont pas aimés en Piémont, et l'on applaudit toujours à ceux qui les battent. Aussi Rondino passa-t-il pour un héros parmi les paysans du voisinage. D'autres rencontres avec la force armée lui furent aussi heureuses que la première, et augmentèrent sa réputation. On prétend que, dans l'espace de deux ou trois ans, il tua ou blessa une quinzaine de gendarmes. Il changeait souvent de retraite, mais jamais il ne s'éloignait de plus de sept à huit lieues de son village. Jamais il ne volait ; seulement, quand ses munitions étaient presque épuisées, il demandait au premier passant un quart d'écu pour acheter de la poudre et du plomb. D'ordinaire, il couchait dans des fermes isolées. Son usage alors était de fermer toutes les portes, et d'emporter les clefs dans la chambre qu'on lui avait donnée. Ses armes étaient auprès de lui, et il laissait en dehors de la maison, pour faire sentinelle, un énorme chien qui le suivait partout, et qui plus d'une fois avait fait sentir ses redoutables dents aux ennemis de son maître. L'aube venue, Rondino rendait les clefs, remerciait ses hôtes et, le plus souvent, ses hôtes le priaient, à son départ, d'accepter quelques provisions.

M. A..., riche propriétaire de ma connaissance, le vit, il y a trois ans. On faisait la moisson, et il surveillait ses ouvriers, quand il vit venir à lui un homme bien fait, robuste, d'une figure mâle, mais point féroce ; cet homme avait un fusil, mais, à cinquante pas des moissonneurs, il le déposa au pied d'un arbre, ordonna à son chien de le garder, et s'avançant vers M. A..., le pria de vouloir bien lui donner quelque aumône.

— Pourquoi ne travaillez-vous pas avec les ouvriers ? lui dit M. A..., qui le prenait pour un mendiant ordinaire.

Le proscrit sourit, et dit :

— Je suis Rondino.

Aussitôt on lui offrit quelques pistoles.

— Je ne prends jamais qu'un quart d'écu, dit Rondino ; cela me suffit pour remplir ma poire à poudre. Seulement, puisque vous voulez faire quelque chose pour moi, ayez la bonté de me faire donner quelque chose à manger, car j'ai faim.

Il prit un pain et du lard, et voulait se retirer aussitôt emportant son dîner ; mais M. A... le retint encore quelques moments, curieux d'observer à loisir un homme dont on parlait tant.

— Vous devriez quitter ce pays, dit-il au proscrit ; tôt ou tard vous serez pris. Allez à Gênes ou en France ; de là vous passerez en Grèce, vous y trouverez des militaires, nos compatriotes, qui vous recevront bien. Je vous donnerai volontiers les moyens de faire le voyage.

— Je vous remercie, répondit Rondino après avoir un peu réfléchi. Je ne pourrais vivre autre part que dans mon pays, et je tâcherai de n'être pendu que le plus tard possible.

Un jour, quelques voleurs de profession cherchèrent Rondino, et lui dirent :

— Cette nuit, un conseiller de Turin doit passer à tel endroit ; il a 40 000 livres dans sa voiture ; si tu veux nous conduire, nous l'arrêterons, et tu auras part de capitaine.

Rondino leva fièrement la tête, et, les regardant avec mépris :

— Pour qui me prenez-vous ? dit-il, je suis un honnête proscrit, et non un voleur. Ne me faites plus de semblables propositions, ou vous vous en repentirez.

Il les quitta, et alla au-devant du conseiller. L'ayant rencontré à la tombée de la nuit, il fit arrêter la voiture, monta sur le siège et ordonna au cocher de continuer sa route. Cependant, le conseiller tremblant s'attendait à chaque instant à être assassiné. Au milieu d'un défilé, les voleurs paraissent à l'improviste ; Rondino leur crie aussitôt :

— Cette voiture est sous ma protection ; vous me connaissez, et si vous l'attaquez, c'est à moi que vous aurez affaire.

Il avait levé son fusil, et son chien n'attendait qu'un signal pour s'élancer sur les brigands. Ils s'ouvrirent devant la voiture, qui bientôt fut en lieu de sûreté. Le conseiller offrit un présent considérable à son libérateur, mais Rondino le refusa.

— Je n'ai fait que le devoir de tout honnête homme, dit-il ; aujourd'hui, je n'ai besoin de rien ; toutefois, si vous voulez me prouver votre reconnaissance, dites seulement à vos fermiers de me donner un quart d'écu quand je n'aurai plus de poudre, et à dîner quand j'aurai faim.

Rondino fut pris, il y a deux ans, de la manière suivante. Il vint coucher une nuit dans un presbytère ; il demanda toutes les clefs, mais le curé eut l'adresse d'en retenir une, au moyen de laquelle, le brigand une fois endormi, il put envoyer un jeune garçon qui le servait avertir la brigade de gendarmerie la plus proche. Le chien de Rondino était doué d'un instinct merveilleux pour sentir de loin l'approche de ses ennemis. Ses aboiements éveillèrent son maître, qui essaya de sortir du village ; mais déjà toutes les avenues étaient gardées. Il monte dans le clocher et s'y barricade. Le jour venu, il commença à tirer par les fenêtres, et bientôt obligea les gendarmes à gagner les maisons voisines, et à renoncer à donner l'assaut. La fusillade dura une grande partie de la journée. Rondino n'était pas blessé, et déjà il avait mis hors de combat trois gendarmes ; mais il n'avait ni pain, ni eau, et la chaleur était étouffante ; il comprit que son heure était venue. Tout d'un coup on le vit paraître à une fenêtre du dehors, élevant un mouchoir blanc au bout de son fusil. On cessa de tirer.

— Je suis las, dit-il, de la vie que je mène ; je veux bien me rendre, mais je ne veux pas que des gendarmes aient la gloire de m'avoir pris. Faites venir un officier de la ligne, et je me rendrai à lui.

Précisément un détachement, commandé par un officier, entrait dans le village ; on consentit à ce que demandait Rondino, les soldats se mirent en bataille devant le clocher, et Rondino sortit à l'instant. Il s'avança vers l'officier, et lui dit d'une voix ferme :

— Monsieur, acceptez mon chien, vous en serez content ; promettez-moi d'avoir soin de lui.

L'officier le lui promit. Aussitôt, Rondino brisa la crosse de son fusil, et fut emmené sans résistance par les soldats, qui le traitèrent avec beaucoup d'égards. Il attendit son jugement pendant près de deux ans ; il écouta son arrêt avec beaucoup de sang-froid, et subit son supplice sans faiblesse ni fanfaronnades.

## 2. LA TECHNIQUE DU CONTE.

### 2.1. P.-L. COURIER.

Dans sa lettre bien connue à M$^{me}$ Pigalle, l'auteur raconte une histoire à suspense :

Resina, près Portici, le 1$^{er}$ novembre 1807.

Vos lettres sont rares, chère cousine ; vous faites bien : je m'y accoutumerais, et je ne pourrais plus m'en passer. Tout de bon je suis en colère : vos douceurs ne m'apaisent point. Comment, cousine, depuis trois ans voilà deux fois que vous m'écrivez ! en vérité, mamzelle Sophie... Mais quoi ! si je vous querelle, vous ne m'écrivez plus du tout. Je vous pardonne donc, crainte de pis.

Oui, sûrement, je vous conterai mes aventures bonnes et mauvaises, tristes et gaies, car il m'en arrive des unes et des autres. *Laissez-nous faire,* cousine, *on vous en donnera de toutes les façons.* C'est un vers de La Fontaine, demandez à Voisard. Mon Dieu ! m'allez-vous dire, on a lu La Fontaine, on sait ce que c'est que le Curé et le Mort. Eh bien ! pardon. Je disais donc que mes aventures sont diverses, mais toutes curieuses, intéressantes ; il y a plaisir à les entendre, et plus encore, je m'imagine, à vous les conter. C'est une expérience que nous ferons au coin du feu quelque jour. J'en ai pour tout un hiver. J'ai de quoi vous amuser, et par conséquent vous plaire, sans vanité, tout ce temps-là ; de quoi vous attendrir, vous faire rire, vous faire peur, vous faire dormir. Mais pour vous écrire tout, ah ! vraiment vous plaisantez : Mᵐᵉ Radcliffe n'y suffirait pas. Cependant je sais que vous n'aimez pas à être refusée ; et comme je suis complaisant, quoi qu'on en dise, voici, en attendant, un petit échantillon de mon histoire ; mais c'est du noir, prenez-y garde. Ne lisez pas cela en vous couchant, vous en rêveriez, et pour rien au monde je ne voudrais vous avoir donné le cauchemar.

Un jour je voyageais en Calabre. C'est un pays de méchantes gens, qui, je crois, n'aiment personne, et en veulent surtout aux Français. De vous dire pourquoi, cela serait long ; suffit qu'ils nous haïssent à mort, et qu'on passe fort mal son temps lorsqu'on tombe entre leurs mains. J'avais pour compagnon un jeune homme d'une figure... ma foi, comme ce monsieur que nous vîmes au Raincy ; vous en souvenez-vous ? et mieux encore peut-être. Je ne dis pas cela pour vous intéresser, mais parce que c'est la vérité. Dans ces montagnes les chemins sont des précipices, nos chevaux marchaient avec beaucoup de peine ; mon camarade allant devant, un sentier qui lui parut plus praticable et plus court nous égara. Ce fut ma faute ; devais-je me fier à une tête de vingt ans ? Nous cherchâmes, tant qu'il fit jour, notre chemin à travers ces bois ; mais plus nous cherchions, plus nous nous perdions, et il était nuit quand nous arrivâmes près d'une maison fort noire. Nous y entrâmes, non sans soupçon, mais comment faire ? Là nous trouvons toute une famille de charbonniers à table, où du premier mot on nous invita. Mon jeune homme ne se fit pas prier : nous voilà mangeant et buvant, lui du moins, car, pour moi, j'examinais le lieu et la mine de nos hôtes. Nos hôtes avaient bien mines de charbonniers ; mais la maison, vous l'eussiez prise pour un arsenal. Ce n'étaient que fusils, pistolets, sabres, couteaux, coutelas. Tout me déplut, et je vis bien que je déplaisais aussi. Mon camarade, au contraire : il était de la famille, il riait, il causait avec eux ; et par une imprudence que j'aurais dû prévoir (mais quoi ! s'il était écrit...) il dit d'abord d'où nous venions, où nous allions, qui nous étions ; Français, imaginez un peu ! chez nos plus mortels ennemis, seuls, égarés, si loin de tout secours humain ! et puis, pour ne rien omettre de ce qui pouvait nous perdre, il fit le riche, promit à ces gens pour la dépense, et pour nos guides, le lendemain, ce qu'ils voulurent. Enfin il parla de sa valise, priant fort qu'on en eût grand soin, qu'on la mît au chevet de son lit ; il ne voulait point, disait-il, d'autre traversin. Ah ! jeunesse ! jeunesse ! que votre âge est à plaindre ! Cousine, on crut que nous portions les diamants de la couronne : ce qu'il y avait qui lui causait tant de souci dans cette valise, c'étaient les lettres de sa maîtresse.

Le souper fini on nous laisse ; nos hôtes couchaient en bas, nous dans la chambre haute où nous avions mangé ; une soupente élevée de sept à huit pieds, où l'on montait par une échelle, c'était là le coucher qui nous attendait, espèce de nid, dans lequel on s'introduisait en rampant sous des solives chargées de provisions pour toute l'année. Mon camarade y grimpa seul, et se coucha tout endormi, la tête sur la précieuse valise. Moi, déterminé à veiller, je fis bon feu, et m'assis auprès. La nuit s'était déjà passée presque entière assez tranquillement et je commençais à me rassurer, quand, sur l'heure où il me semblait que le jour ne pouvait être loin, j'entendis au-dessous de moi notre hôte et sa femme parler et se disputer ; et, prêtant l'oreille par la cheminée qui communiquait avec celle d'en bas, je distinguai parfaitement ces propres mots du mari : *Eh bien ! enfin voyons, faut-il les tuer tous deux ?* A quoi la femme répondit : *Oui*. Et je n'entendis plus rien.

Que vous dirai-je ? je restai respirant à peine, tout mon corps froid comme un marbre ; à me voir, vous n'eussiez su si j'étais mort ou vivant. Dieu ! quand j'y pense encore !... Nous deux presque sans armes, contre eux douze ou quinze qui en avaient tant ! et mon camarade mort de sommeil et de fatigue ! L'appeler, faire du bruit, je n'osais ; m'échapper tout seul, je ne pouvais ; la fenêtre n'était guère haute, mais en bas deux gros dogues hurlant comme des loups... En quelle peine je me trouvais, imaginez-le, si vous pouvez. Au bout d'un quart d'heure, qui fut long, j'entends sur l'escalier quelqu'un, et, par les fentes de la porte, je vis le père, sa lampe dans une main, dans l'autre un de ses grands couteaux. Il montait, sa femme après lui ; moi derrière la porte : il ouvrit ; mais avant d'entrer il posa la lampe, que sa femme vint prendre ; puis il entre pieds nus, et elle de dehors lui disait à voix basse, masquant avec ses doigts le trop de lumière de la lampe : *Doucement, va doucement*. Quand il fut à l'échelle, il monte, son couteau dans les dents, et venu à la hauteur du lit, ce pauvre jeune homme étendu offrant sa gorge découverte, d'une main il prend son couteau, et de l'autre... Ah ! cousine...

Il saisit un jambon qui pendait au plancher, en coupe une tranche, et se retire comme il était venu. La porte se referme, la lampe s'en va, et je reste seul à mes réflexions.

Dès que le jour parut, toute la famille, à grand bruit, vint nous éveiller, comme nous l'avions recommandé. On apporte à manger : on sert un déjeuner fort propre, fort bon, je vous assure. Deux chapons en faisaient partie, dont il fallait, dit notre hôtesse, emporter l'un et manger l'autre. En les voyant, je compris enfin le sens de ces terribles mots : *Faut-il les tuer tous deux ?* Et je vous crois, cousine, assez de pénétration pour deviner à présent ce que cela signifiait.

Cousine, obligez-moi : ne contez point cette histoire. D'abord, comme vous voyez, je n'y joue pas un beau rôle, et puis vous me la gâterez. Tenez, je ne vous flatte point ; c'est votre figure qui nuirait à l'effet de ce récit. Moi, sans me vanter, j'ai la mine qu'il faut pour les contes à faire peur. Mais vous, voulez-vous conter ? prenez des sujets qui aillent à votre air, Psyché, par exemple.

## 2.2. MAUPASSANT.

On cherchera ce que l'écrivain doit ici à Mérimée dans l'art du conte.

### DEUX AMIS

Paris était bloqué, affamé et râlant. Les moineaux se faisaient bien rares sur les toits, et les égouts se dépeuplaient. On mangeait n'importe quoi[1].

Comme il se promenait tristement par un clair matin de janvier le long du boulevard extérieur, les mains dans les poches de sa culotte d'uniforme et le ventre vide, M. Morissot, horloger de son état et pantouflard par occasion, s'arrêta net devant un confrère qu'il reconnut pour un ami. C'était M. Sauvage, une connaissance du bord de l'eau.

Chaque dimanche, avant la guerre, Morissot partait dès l'aurore, une canne en bambou d'une main, une boîte en fer-blanc sur le dos. Il prenait le chemin de fer d'Argenteuil, descendait à Colombes, puis gagnait à pied l'île Marante. A peine arrivé en ce lieu de ses rêves, il se mettait à pêcher ; il pêchait jusqu'à la nuit.

Chaque dimanche, il rencontrait là un petit homme replet et jovial, M. Sauvage, mercier, rue Notre-Dame-de-Lorette, autre pêcheur fanatique. Ils passaient souvent une demi-journée côte à côte, la ligne à la main et les pieds ballants au-dessus du courant, et ils s'étaient pris d'amitié l'un pour l'autre.

---

1. Il s'agit de l'hiver 1870-1871 pendant le siège de Paris par les Allemands.

En certains jours, ils ne parlaient pas. Quelquefois ils causaient ; mais ils s'entendaient admirablement sans rien dire, ayant des goûts semblables et des sensations identiques.

Au printemps, le matin, vers dix heures, quand le soleil rajeuni faisait flotter sur le fleuve tranquille cette petite buée qui coule avec l'eau, et versait dans le dos des deux enragés pêcheurs une bonne chaleur de saison nouvelle, Morissot parfois disait à son voisin : « Hein ! quelle douceur ! » et M. Sauvage répondait : « Je ne connais rien de meilleur. » Et cela leur suffisait pour se comprendre et s'estimer.

A l'automne, vers la fin du jour, quand le ciel, ensanglanté par le soleil couchant, jetait dans l'eau des figures de nuages écarlates, empourprait le fleuve entier, enflammait l'horizon, faisait rouge comme le feu entre les deux amis, et dorait les arbres roussis déjà, frémissants d'un frisson d'hiver, M. Sauvage regardait en souriant Morissot et prononçait : « Quel spectacle ! » Et Morissot émerveillé répondait, sans quitter des yeux son flotteur : « Cela vaut mieux que le boulevard, hein ? »

Dès qu'ils se furent reconnus, ils se serrèrent les mains énergiquement, tout émus de se retrouver en des circonstances si différentes. M. Sauvage, poussant un soupir, murmura : « En voilà des événements ! » Morissot, très morne, gémit : « Et quel temps ! C'est aujourd'hui le premier beau jour de l'année. »

Le ciel était, en effet, tout bleu et plein de lumière.

Ils se mirent à marcher côte à côte, rêveurs et tristes, Morissot reprit : « Et la pêche ? hein ! quel bon souvenir ! »

M. Sauvage demanda : « Quand y retournerons-nous ? »

Ils entrèrent dans un petit café et burent ensemble une absinthe ; puis ils se remirent à se promener sur les trottoirs. Morissot s'arrêta soudain : « Une seconde verte, hein ? » M. Sauvage y consentit : « A votre disposition. » Et ils pénétrèrent chez un autre marchand de vins.

Ils étaient fort étourdis en sortant, troublés comme des gens à jeun dont le ventre est plein d'alcool. Il faisait doux. Une brise caressante leur chatouillait le visage.

M. Sauvage, que l'air tiède achevait de griser, s'arrêta : Si on y allait ?

— Où ça ?

— A la pêche, donc.

— Mais où ?

— Mais à notre île. Les avant-postes français sont auprès de Colombes. Je connais le colonel Dumoulin ; on nous laissera passer facilement. »

Morissot frémit de désir : « C'est dit. J'en suis. » Et ils se séparèrent pour prendre leurs instruments.

Une heure après, ils marchaient côte à côte sur la grand'-
route. Puis ils gagnèrent la villa qu'occupait le colonel. Il sourit
de leur demande et consentit à leur fantaisie. Ils se remirent
en marche, munis d'un laissez-passer.

Bientôt ils franchirent les avant-postes, traversèrent Colombes
abandonné, et se trouvèrent au bord des petits champs de
vigne qui descendent vers la Seine. Il était environ onze heures.
En face, le village d'Argenteuil semblait mort. Les hauteurs
d'Orgemont et de Sannois dominaient tout le pays. La grande
plaine qui va jusqu'à Nanterre était vide, toute vide, avec
ses cerisiers nus et ses terres grises.

M. Sauvage, montrant du doigt les sommets, murmura : « Les
Prussiens sont là-haut ! » Et une inquiétude paralysait les deux
amis devant ce pays désert.

Les Prussiens ! Ils n'en avaient jamais aperçu mais ils les sen-
taient là depuis des mois, autour de Paris, ruinant la France,
pillant, massacrant, affamant, invisibles et tout-puissants. Et
une sorte de terreur superstitieuse s'ajoutait à la haine qu'ils
avaient pour ce peuple inconnu et victorieux.

Morissot balbutia : « Hein ! si nous allions en rencontrer ? »
M. Sauvage répondit, avec cette gouaillerie parisienne repa-
raissant malgré tout :

« Nous leur offririons une friture. »

Mais ils hésitaient à s'aventurer dans la campagne, intimidés
par le silence de tout l'horizon.

A la fin, M. Sauvage se décida : « Allons, en route ! mais
avec précaution. » Et ils descendirent dans un champ de
vigne, courbés en deux, rampant, profitant des buissons pour
se couvrir, l'œil inquiet, l'oreille tendue.

Une bande de terre nue restait à traverser pour gagner le
bord du fleuve. Ils se mirent à courir ; et dès qu'ils eurent
atteint la berge, ils se blottirent dans les roseaux secs.

Morissot colla sa joue par terre pour écouter si on ne marchait
pas dans les environs. Il n'entendit rien. Ils étaient bien seuls,
tout seuls.

Ils se rassurèrent et se mirent à pêcher.

En face d'eux, l'île Marante abandonnée les cachait à l'autre
berge. La petite maison du restaurant était close, semblait
délaissée depuis des années.

M. Sauvage prit le premier goujon. Morissot attrapa le second,
et d'instant en instant ils levaient leurs lignes avec une petite
bête argentée frétillant au bout du fil ; une vraie pêche mira-
culeuse.

Ils introduisaient délicatement les poissons dans une poche
de filet à mailles très serrées, qui trempait à leurs pieds, et
une joie délicieuse les pénétrait, cette joie qui vous saisit

quand on retrouve un plaisir aimé dont on est privé depuis longtemps.

Le bon soleil leur coulait sa chaleur entre les épaules; ils n'écoutaient plus rien; ils ne pensaient plus à rien; ils ignoraient le reste du monde; ils pêchaient.

Mais soudain un bruit sourd qui semblait venir de sous terre fit trembler le sol. Le canon se remettait à tonner.

Morissot tourna la tête, et par-dessus la berge il aperçut, là-bas, sur la gauche, la grande silhouette du Mont-Valérien, qui portait au front une aigrette blanche, une buée de poudre qu'il venait de cracher.

Et aussitôt un second jet de fumée partit du sommet de la forteresse; et quelques instants après une nouvelle détonation gronda.

Puis d'autres suivirent, et de moment en moment, la montagne jetait son haleine de mort, soufflait ses vapeurs laiteuses qui s'élevaient lentement dans le ciel calme, faisaient un nuage au-dessus d'elle.

M. Sauvage haussa les épaules : « Voilà qu'ils recommencent », dit-il.

Morissot, qui regardait anxieusement plonger coup sur coup la plume de son flotteur, fut pris soudain d'une colère d'homme paisible contre ces enragés qui se battaient ainsi, et il grommela : « Faut-il être stupide pour se tuer comme ça ! »

M. Sauvage reprit : « C'est pis que des bêtes. »

Et Morissot qui venait de saisir une ablette, déclara : « Et dire que ce sera toujours ainsi tant qu'il y aura des gouvernements. »

M. Sauvage l'arrêta : « La République n'aurait pas déclaré la guerre... »

Morissot l'interrompit : « Avec les rois on a la guerre au dehors; avec la République on a la guerre au dedans. »

Et tranquillement ils se mirent à discuter, débrouillant les grands problèmes politiques avec une raison saine d'hommes doux et bornés, tombant d'accord sur ce point, qu'on ne serait jamais libres. Et le Mont-Valérien tonnait sans repos, démolissant à coups de boulet des maisons françaises, broyant des vies, écrasant des êtres, mettant fin à bien des rêves, à bien des joies attendues, à bien des bonheurs espérés, ouvrant en des cœurs de femmes, en des cœurs de filles, en des cœurs de mères, là-bas, en d'autres pays, des souffrances qui ne finiraient plus.

« C'est la vie », déclara M. Sauvage.

« Dites plutôt que c'est la mort », reprit en riant Morissot.

Mais ils tressaillirent effarés, sentant bien qu'on venait de marcher derrière eux; et ayant tourné les yeux, ils aperçurent, debout contre leurs épaules, quatre hommes, quatre grands hommes armés et barbus, vêtus comme des domestiques en livrée et coiffés de casquettes plates, les tenant en joue au bout de leurs fusils.

Les deux lignes s'échappèrent de leurs mains et se mirent à descendre la rivière.

En quelques secondes, ils furent saisis, emportés, jetés dans une barque et passés dans l'île.

Et derrière la maison qu'ils avaient crue abandonnée, ils aperçurent une vingtaine de soldats allemands.

Une sorte de géant velu, qui fumait, à cheval sur une chaise, une grande pipe de porcelaine, leur demanda, en excellent français : « Eh bien, messieurs, avez-vous fait bonne pêche ? » Alors un soldat déposa aux pieds de l'officier le filet plein de poissons qu'il avait eu soin d'emporter. Le Prussien sourit : « Eh ! eh ! je vois que ça n'allait pas mal. Mais il s'agit d'autre chose. Ecoutez-moi et ne vous troublez pas.

« Pour moi, vous êtes deux espions envoyés pour me guetter. Je vous prends et je vous fusille. Vous faisiez semblant de pêcher, afin de mieux dissimuler vos projets. Vous êtes tombés entre mes mains, tant pis pour vous ; c'est la guerre.

« Mais comme vous êtes sortis par les avant-postes, vous avez assurément un mot d'ordre pour rentrer. Donnez-moi ce mot d'ordre et je vous fais grâce. »

Les deux amis, livides, côte à côte, les mains agitées d'un léger tremblement nerveux, se taisaient.

L'officier reprit : « Personne ne le saura jamais, vous rentrerez paisiblement. Le secret disparaîtra avec vous. Si vous refusez, c'est la mort, et tout de suite. Choisissez ? »

Ils demeuraient immobiles sans ouvrir la bouche.

Le Prussien, toujours calme, reprit en étendant la main vers la rivière : « Songez que dans cinq minutes vous serez au fond de cette eau. Dans cinq minutes ! Vous devez avoir des parents ? »

Le Mont-Valérien tonnait toujours.

Les deux pêcheurs restaient debout et silencieux. L'Allemand donna des ordres dans sa langue. Puis il changea sa chaise de place pour ne pas se trouver trop près des prisonniers ; et douze hommes vinrent se placer à vingt pas, le fusil au pied. L'officier reprit : « Je vous donne une minute, pas deux secondes de plus. »

Puis il se leva brusquement, s'approcha des deux Français, prit Morissot sous le bras, l'entraîna plus loin, lui dit à voix basse : « Vite, ce mot d'ordre ? Votre camarade ne saura rien, j'aurai l'air de m'attendrir. »

Morissot ne répondit rien.

Le Prussien entraîna alors M. Sauvage et lui posa la même question.

M. Sauvage ne répondit pas.

Ils se retrouvèrent côte à côte.

Et l'officier se mit à commander. Les soldats élevèrent leurs armes.

Alors le regard de Morissot tomba par hasard sur le filet plein de goujons, resté dans l'herbe, à quelques pas de lui.

Un rayon de soleil faisait briller le tas de poissons qui s'agitaient encore. Et une défaillance l'envahit. Malgré ses efforts, ses yeux s'emplirent de larmes.

Il balbutia : « Adieu, monsieur Sauvage. »

M. Sauvage répondit : « Adieu, monsieur Morissot. »

Ils se serrèrent la main, secoués des pieds à la tête par d'invincibles tremblements.

L'officier cria : « Feu ! »

Les douze coups n'en firent qu'un.

M. Sauvage tomba d'un bloc sur le nez. Morissot, plus grand, oscilla, pivota et s'abattit en travers sur son camarade, le visage au ciel, tandis que des bouillons de sang s'échappaient de sa tunique crevée à la poitrine.

L'Allemand donna de nouveaux ordres.

Ses hommes se dispersèrent, puis revinrent avec des cordes et des pierres qu'ils attachèrent aux pieds des deux morts ; puis ils les portèrent sur la berge.

Le Mont-Valérien ne cessait pas de gronder, coiffé maintenant d'une montagne de fumée.

Deux soldats prirent Morissot par la tête et par les jambes ; deux autres saisirent M. Sauvage de la même façon. Les corps, un instant balancés avec force, furent lancés au loin, décrivirent une courbe, puis plongèrent, debout, dans le fleuve, les pierres entraînant les pieds d'abord.

L'eau rejaillit, bouillonna, frissonna, puis se calma, tandis que de toutes petites vagues s'en venaient jusqu'aux rives.

Un peu de sang flottait.

L'officier, toujours serein, dit à mi-voix : « C'est le tour des poissons maintenant. »

Puis il revint vers la maison.

Et soudain il aperçut le filet aux goujons dans l'herbe. Il le ramassa, l'examina, sourit, cria : « Wilhelm ! »

Un soldat accourut, en tablier blanc. Et le Prussien, lui jetant la pêche des deux fusillés, commanda : « Fais-moi frire tout de suite ces petits animaux-là pendant qu'ils sont encore vivants. Ce sera délicieux. »

Puis il se remit à fumer sa pipe.

## 3. SAINTE-BEUVE JUGE MÉRIMÉE.

Voici, en complément au jugement cité en fin de volume, l'essentiel de l'article écrit par Sainte-Beuve dans *le Globe*.

Esprit positif, observateur, curieux et studieux des détails, des faits, de tout ce qui peut se montrer et se préciser, l'auteur s'est de bonne heure affranchi de la métaphysique vague de notre époque critique, en religion, en philosophie, en art, en histoire, il ne s'est guère soucié d'y rien substituer. Eclectiques, romantiques, doctrinaires, républicains, ou monarchistes ; systématiques de tout bord et de toute conviction, il les a laissés dire ; il n'en a repoussé ni épousé aucun, se taisant, n'écoutant pas toujours, s'abstenant d'avoir là-dessus le moindre avis ; mais il relisait de temps à autre *le Prince* de Machiavel, qui lui semblait une œuvre solide à méditer ; il relisait l'*Art poétique* d'Horace, pour y retrouver quelques détails sur les procédés scéniques des anciens, ou les *Confessions* de saint Augustin, pour y voir comment un jour le Saint prit goût, malgré lui, aux jeux du cirque. Il s'attachait aux faits, interrogeait les voyageurs, s'enquérait des coutumes sauvages comme des anecdotes les plus civilisées ; s'intéressait à la forme d'une dague ou d'une liane, à la couleur d'un fruit, aux ingrédients d'un breuvage ; il rétrogradait sans répugnance et avec une nerveuse souplesse d'imagination aux mœurs antérieures, se faisait à volonté Espagnol, Corse, Illyrien, Africain, et de nos jours choisissait de préférence les curiosités rares, les singularités de passions, les cas étranges, débris de ces mœurs premières et qui ressortent avec le plus de saillie du milieu de notre époque blasée et nivelée ; des adultères, des duels, des coups de poignard, de bons scandales à notre morale d'étiquette. En s'appliquant à ces faits, pour leur imprimer le cachet de son génie, pour les tailler en diamants et les enchâsser dans un art très ferme et très serré, l'auteur n'a jamais songé, ce semble, à les rapporter aux conceptions générales, soit religieuses, soit politiques, dont ils n'étaient que des fragments ou des vestiges ; la vue d'ensemble ne lui sied pas ; il est trop positif pour y croire ; il croit au fait bien défini, bien circonstancié, poursuivi jusqu'au bout dans sa spécialité de passion et dans son expression matérielle ; le reste lui paraît fumée et nuage. Sans croyance aux doctrines générales du passé, sans confiance aux vagues pressentiments d'avenir ni aux inductions d'une critique conjecturale, s'il abordait des actes et des passions tenant par leur milieu à une époque *organique*, il les verrait mal et les peindrait incomplètement. S'il s'attaquait au vrai moyen âge, aux siècles de Hildebrand et de Bernard, il n'accorderait pas assez à l'influence universelle, à la splendeur du soleil catholique ; les exceptions et les points obscurs le distrairaient de la vérité d'ensemble. De nos jours, quand il a abordé certaines parties du règne de Napoléon, ç'a été la critique et l'ironie qui ont prévalu; il nous a peint des lieutenants de la vieille armée espions, de jeunes fils de famille bonapartistes grossiers; et sa sublime *Prise d'une Redoute* n'est que le côté lugubre de la gloire militaire. Il n'a pas embrassé, dans les peintures détachées qu'il en a données, l'harmonie de ce grand règne. Aussi M. Mérimée, dans le choix de ses sujets, se prend-il de préférence à des époques où les particularités ne sont pas trop commandées par un ordre dominant, ou à des races qui sont demeurées dans leur sauvagerie primitive. Le XVI$^e$ siècle lui va à merveille, parce que le moyen âge, en s'y brisant, le remplit d'éclats, et qu'en crimes et en vertus, l'énergie individuelle, poussée à son comble, y hérite directement de tout ce qu'avait amassé, durant des siècles, l'organisation féodale et catholique. Son talent d'observation et son génie de peintre y triomphent dans le choc violent des événements et l'originalité des caractères. De nos jours les histoires de bandits corses, de peuplades slaves, les aventures de négriers, lui conviennent encore; il s'y complaît et y excelle. Ou bien c'est ce que notre civilisation raffinée a de plus piquant et de plus relevé dans son insipidité habituelle : des comédiennes héroïques, des prêtres amoureux, des retours subtils de jalousie ou de remords. Le procédé d'exécution répond tout à fait à ce qu'on peut attendre : une simplicité parfaite, une force continue; point de *pomposo* ni de bavardage; point de réflexions ni de digressions; quelque chose de droit qui va au but, qui ne se détourne ni d'un côté ni de l'autre, et pousse devant, en marquant chaque pas, comme un bélier sombre; point de vapeurs à l'horizon ni de demi-teintes; mais des lignes nettes, des couleurs fortes dans leur sobriété; des *ciels* un peu crus, des tons graves et bruns; chaque circonstance essentielle décrite, chaque réalité serrée de près et rendue avec une exactitude sévère; chaque personnage conséquent à lui-même de tout point; vrai de geste, de costume, de visage; concentré et viril dans sa passion, même les femmes; et derrière ces personnages et ces scènes, l'auteur qui s'efface, qu'on n'entend ni ne voit, dont la sympathie ni l'amour n'éclatent jamais dans le cours du récit par quelque cri irrésistible, et qui n'intervient au plus que tout à la fin, sous un faux air d'insouciance et avec un demi-sourire d'ironie. Tel nous semble M. Mérimée. C'est assurément l'artiste le moins chrétien d'aujourd'hui, celui dont le caractère individuel est le plus purgé de toutes réminiscences doctrinales et sentimentales du passé.

# JUGEMENTS

● *SUR « MATEO FALCONE »*

*Dès sa parution, Mateo Falcone fut considéré comme un chef-d'œuvre, et ce jugement, avec quelques nuances, ne s'est jamais démenti par la suite.*

*Mateo* est [...] un véritable chef-d'œuvre de narration. Il est impossible de pousser plus loin l'artifice des incidents et du style, d'enfermer dans un espace aussi étroit plus d'émotions et d'idées, d'indiquer avec plus de concision et de vivacité autant de physionomies et de caractères. Je défie qu'on tire d'une donnée si simple un plus riche parti ; à la bonne heure, c'est une perle, un diamant, si vous voulez. Mais n'avait-il rien fait avant *Mateo ?* Rentrez en vous-même, et rougissez.

Gustave Planche,
*Revue des Deux Mondes* (1<sup>er</sup> septembre 1832).

*Dans le Figaro, un critique anonyme écrivait :*

Un conteur qui suivrait une autre méthode que M. Mérimée n'aurait pas manqué l'occasion de nous développer en détail cette exécution de famille, et dans sa partie matérielle et extérieure, et aussi dans l'esprit et l'âme des deux acteurs. Une fois l'enfant mis en joue, M. Balzac, par exemple, aurait tenu fort longtemps son lecteur dans cette position pleine d'anxiété et, durant ce doute mortel, se serait amusé à développer le caractère de Mateo, de manière à vous déchirer alternativement par cette incertitude : le tuera-t-il ? ne le tuera-t-il pas ? Cette méthode-là n'est pas précisément naturelle. M. Mérimée se rapproche davantage de la réalité. Vous eussiez été témoin du fait raconté, c'eût été, à peu de chose près, comme le livre de M. Mérimée.

*Le Figaro,* 28 juin 1833.

*Vingt ans plus tard, Gustave Planche ne reniait rien de sa première admiration :*

J'ai relu bien des fois *Mateo Falcone,* et chaque fois que je l'ai relu j'ai admiré de plus en plus la puissance de la sobriété. Parmi les écrivains de notre temps, j'en sais bien peu qui puissent se vanter d'agir aussi énergiquement, aussi sûrement sur l'esprit du lecteur. M. Mérimée, n'eût-il écrit que *Mateo Falcone,* occuperait une place éminente dans l'histoire littéraire de notre pays, car de telles pages ne se comptent pas, mais se pèsent.

Gustave Planche,
*Revue des Deux Mondes* (15 septembre 1854).

*Les jugements de la critique contemporaine sont plus nuancés. Ainsi Pierre Trahard ne dissimule pas les réserves que lui inspire l'étude de la nouvelle :*

Par le souci qu'elle apporte à rendre un détail unique, cette esthétique risque de déformer la réalité. Est-il certain que *Mateo Falcone* soit plus vrai que le *Corsaire* ou *Ruy Blas* ? Plus vrais sans doute, ses héros, que ceux d'Ossian, mais d'une vie courte, haletante. Ils s'agitent quelques minutes, tandis qu'un éclair illumine leur dur profil. Accusez ce profil, appuyez sur le trait principal, vous obtiendrez une caricature. Un Daumier, un Gavarni sommeillent en Mérimée.

*Cependant, le même érudit a bien montré ce qu'il y a de classique dans la première nouvelle de Mérimée.*

Toutes proportions gardées, Mérimée conçoit la nouvelle comme Racine concevait la tragédie. [...]

Le drame se joue en deux ou trois heures devant la maison de Mateo Falcone, entre deux ou trois personnages, et réalise ainsi l'unité de temps, l'unité de lieu et l'unité d'action.

Pierre Trahard,
*la Jeunesse de Mérimée*, tome II (1925).

*Les opinions diffèrent aussi sur la place qui doit revenir à Mateo Falcone dans l'ensemble de l'œuvre de Mérimée. La critique moderne conteste que ce soit le chef-d'œuvre du nouvelliste.*

Le premier publié des contes que Mérimée devait recueillir dans *Mosaïque* en 1833, *Mateo Falcone* en est aussi le plus populaire. On peut le regretter, *l'Enlèvement de la redoute* ou le *Vase étrusque* lui étant supérieurs à tant d'égards. Mais enfin, *Mateo Falcone* est d'un très haut prix déjà, et la critique d'en proclamer, dès qu'il parut, la rare concision, la force et la vérité. Le plaisant — et l'admirable— c'est que, dix ans après avoir écrit sur les « Mœurs de la Corse », ces pages d'une présence parfois hallucinante, Mérimée, visitant l'île enfin, ne put qu'y vérifier la justesse de ses intuitions — et l'heureux choix de lectures qui ne lui avaient guère laissé commettre que de minuscules erreurs, facilement rectifiées.

Pierre Josserand,
Notice d'une édition de *Colomba et autres nouvelles* (1964).

## ● SUR « L'ENLÈVEMENT DE LA REDOUTE »

*La popularité de cette nouvelle, comme celle de la précédente, a été immédiate et ne s'est guère démentie par la suite.*

Né, j'imagine, avec une sensibilité profonde, il s'est bientôt aperçu qu'il y avait duperie à l'épandre au milieu de l'égoïsme et de l'ironie du siècle; il a donc pris soin de la contenir au-dedans de lui, de la concentrer le plus possible et, en quelque sorte, sous le moindre volume; de ne la reproduire dans l'art qu'à l'état de passion âcre, violente, héroïque, et non pas en son propre nom, ni par la voie lyrique, mais en drame, en récit, et au moyen de personnages responsables. Ces personnages mêmes, l'artiste les a poussés d'ordinaire au profil le plus vigoureux et le plus simple, au langage le plus bref et le plus fort : dans sa peur de l'épanchement et de ce qui y ressemble, il a mieux aimé s'en tenir à ce qu'il y a de plus certain, de plus saisissable dans le réel; sa sensibilité, grâce à ce détour, s'est produite d'autant plus énergique et fière qu'elle était nativement peut-être plus timide, plus tendre, plus rentrée en elle-même. [...] La vue d'ensemble ne lui sied pas, il est trop positif pour y croire; il croit au fait bien défini, bien cir-constancié, poursuivi jusqu'au bout dans sa spécialité de passion et dans son expression matérielle, le reste lui paraît fumée et nuages. [...] Sa sublime *Prise d'une redoute* [sic] n'est que le côté lugubre de la gloire militaire : il n'a pas embrassé, dans les peintures déta-chées qu'il en a données, l'harmonie du grand règne.

Sainte-Beuve,
*le Globe* (24 janvier 1831).

*Cette précision des images, plus expressive que toute analyse psycho-logique, reste, pour la plupart des critiques, le mérite de l'écrivain :*

Quand il s'agit de peindre la redoute, le mur crénelé, les Russes dépassant de la tête, l'œil droit caché par le fusil élevé, le tableau est fait de main de maître, ineffaçable. C'est qu'il faut rapporter l'impression du personnage, la vision brusque et violente qu'il a eue. Toute l'imagination de Mérimée est employée à évoquer des états d'âme, et à combiner des événements qui mettent en un jour éclatant les démarches des passions.

Emile Faguet,
*Études littéraires sur le XIXᵉ siècle* (1887).

*Mais cette vision donne-t-elle une représentation fidèle des guerres de l'Empire? Sur ce point, les opinions sont divergentes :*

N'est-ce pas l'épopée impériale en raccourci? Le lieutenant qui est arrivé de la veille et qui se trouve commander un régiment comme « le plus ancien » symbolise d'une manière effrayante cette race d'hommes extraordinaires, cette course à la gloire, cette terrible loterie où ils mettaient leur vie pour enjeu et où les survi-vants gagnaient des trônes ou des bâtons de maréchaux. La nou-velle se termine par un gros mot sublime comme s'était terminée, au moment de la catastrophe suprême, l'histoire vraie de ces vingt années.

Augustin Filon,
*Mérimée* (1893).

suppose maintenant que nous venons de lire *l'Enlèvement*
doute de Mérimée, ce petit récit de quelques pages que Sainte-
Beuve, dans un jour d'enthousiasme, qualifiait de « sublime ».
Qu'y remarquons-nous? De l'art, beaucoup d'art, des préparations habiles, un récit amusant, une conclusion piquante, surtout
un style impeccable, tout cela est entendu, Mérimée est Mérimée.
Mais une chose nous frappe tout de suite, c'est qu'il n'a pas donné
à l'épisode par lui retracé et « fignolé » toute l'ampleur qu'il a eue
dans la réalité. C'était son droit : il faisait œuvre de conteur, et
non d'historien. Je ne le blâme pas, je constate.

L. Pinvert,
*Mérimée et le combat de Schwardino* (1914).

*On peut dire, d'ailleurs, qu'il s'agit là d'une forme du « classicisme »
de l'auteur, et c'est sur ce point que s'accordent les jugements les plus
récents :*

C'est le premier modèle de bataille vue par un de ses acteurs,
qui n'en voit que le coin où il est engagé, comme le Fabrice de *la
Chartreuse de Parme* à Waterloo et comme Tolstoï dans ses scènes
de Sébastopol; mais, dans ce bref récit, tout est dit et prodigieusement rendu, l'atmosphère générale, l'angoisse d'un premier combat,
le pressentiment de celui qui sera tué, le rude mépris du vieux
soldat pour le nouveau promu, le caractère fatal de l'action, l'ennemi
abordé, le carnage, l'ignorance de la victoire, l'assaillant vainqueur
décimé.

Emile Henriot,
« l'Imagination de Mérimée », dans
*le Temps* (10 octobre 1933).

Jamais peut-être récit mériméen n'est parvenu — non pas même
*Mateo Falcone* — à une si surprenante densité. Si bref qu'il soit,
*l'Enlèvement de la redoute* n'a pas la sécheresse d'un « bulletin »
et le fait d'armes revit en quelques pages d'une langue limpide,
où l'impassibilité du conteur accroît l'émotion du lecteur : procédé
de son art que Mérimée porte ici à un degré éminent. Ce serait
sans doute accabler Maupassant que d'évoquer ici tel de ses contes
sur des épisodes de la guerre de 1870; mais enfin, *l'Enlèvement
de la redoute* suggère la comparaison. Il n'est point jusqu'au mot
final, très militaire et incivil, qui ne devance, littérairement, son
temps.

Pierre Josserand,
Notice d'une édition de *Colomba et autres nouvelles* (1964).

## ● *SUR* « *TAMANGO* »

*La popularité de cette nouvelle a été, dès sa publication, moins grande que celle des autres récits de Mérimée. Le sujet y était certainement pour beaucoup. Quoi qu'il en soit, Gustave Planche écrit avant même la publication en volume :*

Tamango, quoique inférieur à Mateo, se distingue entre toutes les compositions de Mérimée par des qualités particulières : c'est un récit qui commence comme une satire et finit comme une épopée homérique ou dantesque. Malgré l'antipathie bien connue de l'auteur pour les images lyriques, pour les comparaisons solennelles, il cède malgré lui à l'irrésistible majesté de son sujet et se laisse entraîner aux mouvements de la plus tumultueuse poésie. Il a beau se contenir, se mettre en garde, son front calme et serein, son regard paisible et assuré ne peuvent le soustraire à la lumière éblouissante dont il a lui-même concentré les rayons. L'exemplaire sagesse de son esprit ne réussit pas à le préserver de la débauche. Et tant mieux! car il y a dans Tamango une magnifique poésie.

Gustave Planche,
*Revue des Deux Mondes* (1<sup>er</sup> septembre 1832).

*Même à une époque plus récente, le caractère hybride du récit et le mélange des tons préoccupent les critiques et suscitent leurs réserves :*

[Cette ironie] de Tamango est plus âcre et plus recuite que celle même des plus noirs chapitres de Candide. Je n'y sais de comparable que l'ironie de Gulliver.

Jules Lemaitre,
*les Contemporains,* IV<sup>e</sup> série (1895).

On n'a pas encore découvert les origines de *Tamango.* J. Lemaitre rapproche cette nouvelle de *Gulliver,* je ne sais pourquoi, et de *Candide,* ce qui est ingénieux. *Tamango* rappellerait davantage les romans picaresques de Smollett : non seulement le nègre et le capitaine ressemblent aux ruffians que le romancier anglais met en scène, mais le cadre, l'aventure, les péripéties ne dépareraient pas telle œuvre de celui-ci.

Pierre Trahard,
*la Jeunesse de Mérimée* (1925).

*Quant à l'inspiration et à la portée du récit, elle est beaucoup plus sensible à la critique d'aujourd'hui qu'aux lecteurs du XIX<sup>e</sup> siècle :*

Les nègres apparaissent dans Tamango comme les pitoyables victimes des Européens, auxquels Mérimée n'est pas tendre. Mais il n'insiste ni ne prend parti. Que sa sympathie aille aux Noirs, on

...urait douter; mais il est difficile de voir dans *Tamango* un ...toire contre la civilisation inspiré par le *Discours sur l'iné-* ...et par le *Contrat social*. Mérimée n'a pas de si hautes visées, et ... ton de Jean-Jacques n'est pas le sien. Il se contente d'évoquer le problème de l'esclavage et il laisse au lecteur le soin de conclure. D'ailleurs, il lance indistinctement ses pointes contre la Providence et contre Mama-Jumbo.

> Pierre Trahard,
> *la Jeunesse de Mérimée* (1925).

*On pourrait fort bien résumer les différents problèmes posés par* Tamango *en s'inspirant du jugement suivant, où le critique, s'interrogeant sur les raisons pour lesquelles* Tamango *a été moins bien accueilli par le public, conclut :*

C'est peut-être que l'exotisme de *Mateo* était moins approximatif, et, si l'on ose dire, moins bariolé; le dieu auquel le petit Fortunato adresse ses dernières prières, plus « sensible au cœur » que le Mama-Jumbo du roi nègre; l'inhumanité, enfin, du père qui venge son honneur, plus accessible à la fois et plus révoltante que l'horreur d'un fait divers lointain. L'alternance presque continuelle de traits de satire appuyés (jamais l'ironie de Mérimée ne fut plus âpre) et d'évocations d'une grandeur épique a pu aussi déconcerter. Mais surtout [...] la traite des Noirs n'était en exécration que dans une élite. Et, sans l'avoir sans doute expressément voulu, Mérimée a très moralement servi la propagande abolitionniste.

> Pierre Josserand,
> Introduction à une édition de *Colomba*
> *et autres nouvelles* (1964).

## ● SUR « LES ÂMES DU PURGATOIRE »

*Les critiques ont généralement été sévères pour les Âmes du purgatoire. Augustin Filon les range dans les œuvres de la plus mauvaise époque littéraire de la vie de Mérimée. Émile Faguet dit d'elles qu'elles sont parmi le petit nombre de choses sans intérêt de cet auteur.*

Cette nouvelle n'est pas une des meilleures de Mérimée. Sans doute, on y retrouve ce mélange de merveilleux et de réalisme, d'aventures atroces, mystérieuses et de mœurs vraies, prises sur le vif, ce contraste saisissant entre les scènes de la vie et les fantaisies extravagantes de l'imagination où excelle l'auteur de *la Vénus d'Ille*. Sans doute l'enterrement de don Juan est traité avec une grande puissance de coloris et une rare justesse de traits : les détails sont combinés de telle sorte qu'il est difficile de discerner si le héros voit réellement la scène, ou s'il est le jouet d'une hallucination.

Pour le lecteur l'impression est terrifiante. Sans doute enfin, les passions des personnages sont peintes avec une extrême vigueur. Mais il faut reconnaître qu'en dépit de ces mérites le conte est beaucoup trop long : les détails inutiles, les aventures compliquées y abondent et nuisent à la force de l'émotion. Cette sobriété, cette condensation qui donnent à *Mateo Falcone*, à *l'Enlèvement de la redoute* un si fort caractère dramatique font ici défaut. Comme l'a fort justement noté M. A. Filon, *les Ames du purgatoire* appartiennent à la plus mauvaise époque littéraire de la vie de Mérimée. Ce sont ces années de dissipation qui vont de 1830 à 1834 au cours desquelles le futur auteur de *Colomba,* tout entier à ses plaisirs, n'a produit, outre notre conte, qu'une assez mauvaise nouvelle : *la Double Méprise.*

Georges Gendarme de Bevotte,
*la Légende de don Juan* (1929).

Depuis longtemps, *les Ames du purgatoire* ne comptent plus.

Henri Bremond,
*le Correspondant* (25 novembre 1920).

*A quoi Pierre Trahard réplique :*

Elles comptent encore [...]; quand Mérimée condense, on le trouve sec; quand il le développe, on le juge verbeux. Que lui faudrait-il donc faire pour satisfaire des juges aussi difficiles ? [...] Particulièrement dans *les Ames du purgatoire,* où il s'applique à étudier la lente dégradation d'une âme, puis son relèvement pénible, ne lui est-il pas permis d'apporter une certaine minutie dans l'analyse de cette âme ? Je ne suis pas sûr que le moindre détail, considéré sous cet angle, soit inutile ou déplacé.

Pierre Trahard,
*la Jeunesse de Mérimée* (1925).

*Un point particulièrement controversé, à propos de cette nouvelle, est celui de l'attitude de Mérimée devant l'histoire qu'il raconte.*

Il ne s'indigne jamais; il constate et il raconte : il exclut l'enthousiasme et la colère; il exclut aussi les longues explications, car il excelle à faire voir l'intérieur par l'extérieur, à suggérer par un geste tout le tumulte de l'âme [....]. Les personnages dont il conte les aventures, qui sont toutes des mésaventures, apparaissent victimes de leurs passions, mais aussi d'un destin ironique et cruel; un hasard imprévisible mène le monde — un hasard qui, parfois, pour mieux tourmenter les pauvres hommes, prend le masque décevant du mystère. Devant ses victimes, Mérimée, conteur scru-

abstient de plaintes et de larmes; mais, derrière les phrases
on sent le cœur qui frissonne. Mérimée sec et froid, quel
ns!

Maurice Levaillant,
Introduction à une édition de *Mosaïque* (1933).

Mérimée est trop intelligent à la fois pour nier l'existence d'un
monde inconnu et pour croire aux chimères que l'imagination
enfante dans le dessein plus ou moins clair de donner à ce monde
une réalité sensible. Aux fictions surnaturelles il est complaisant,
car elles transposent des inquiétudes dont un esprit vraiment profond ne saurait jamais se dire tout à fait affranchi; mais non pas
crédule, car elles empruntent des formes dont l'intelligence critique dénonce aisément l'illusion. Comme par jeu, il leur donne
corps dans ses récits et parvient souvent par la vertu de son art
à les rendre réellement effrayantes; mais jusque dans ses inventions les plus redoutables, il demeure un dilettante de la peur.

Pierre Georges Castex,
le *Conte fantastique en France,
de Nodier à Maupassant* (1951).

*Pour conclure, citons ce jugement équilibré :*

Dans le décor espagnol auquel il aime tant revenir, il invente
à sa guise un don Juan. Avec cette feinte assurance d'historien qui
va lui devenir familière, il affirme qu'ainsi vécut et mourut don Juan
de Maraña, assez différent de l'habituel don Juan Tenorio. Un
don Juan plus spadassin que séducteur, violent et tourmenté, féroce
et pieux [...]. Le style est simple et coulant, sans négligence ni
effort. *Les Ames du purgatoire* sont peut-être, au point de vue de la
langue, ce qu'il a écrit de plus naturel, de moins raccourci — et
qui ressemble le moins à du Mérimée.

Albert de Luppé,
*Mérimée* (1945).

# SUJETS DE DEVOIRS ET D'EXPOSÉS

## NARRATIONS ET LETTRES

### Sur « Mateo Falcone ».

● Vous imaginerez et traduirez les réflexions de Mateo Falcone lorsqu'il vient d'apprendre la trahison de son fils.

● Rentré au quartier, l'adjudant Gamba fait le récit de sa journée (on choisira entre le rapport officiel et la narration familière faite devant les amis).

● Vous imaginerez le monologue intérieur de Giuseppa à partir du moment où elle voit partir Mateo et son fils.

### Sur « l'Enlèvement de la redoute ».

● Imaginez le récit de la prise de la redoute fait par le vieux sergent.

● Racontez la prise de la redoute à la façon d'un historien, qui voit les choses d'un point de vue impersonnel et objectif.

### Sur « les Âmes du purgatoire ».

● Racontez la scène d'adieux entre don Juan et les siens, au moment où le héros des *Âmes du purgatoire* part pour Salamanque.

● Imaginez la confession de don Juan au supérieur du couvent dans lequel il se retire.

● Quelque temps après son arrivée à Salamanque, don Juan écrit à ses parents; il leur raconte une partie de sa vie et il leur demande un peu d'argent. Composez cette lettre.

● Vous composerez la lettre par laquelle un vieil ami de la famille de don Juan informe celui-ci de la mort de sa mère.

## DISSERTATIONS ET EXPOSÉS

● En 1854, Gustave Planche écrivait à propos de *Mateo Falcone* : « La tentation du malheureux enfant est présentée avec un talent merveilleux. » Vous essaierez de justifier et de préciser cet éloge.

● « Mérimée, dit P. Trahard, conçoit la nouvelle comme Racine conçoit la tragédie. » Montrez la vérité de cette remarque à propos de *Mateo Falcone*.

● L'art de la nouvelle d'après *Mateo Falcone* et *l'Enlèvement de la redoute*.

● Vous appliquerez à Mérimée lui-même dans *l'Enlèvement de la redoute* ce jugement qu'il formulait sur Gogol dans la Préface des œuvres du romancier russe : « L'art de choisir parmi les innombrables traits que nous offre la nature est, après tout, bien plus difficile que celui de les observer avec attention et de les rendre avec exactitude. »

● La couleur locale dans *Tamango*.

● Les idées de Mérimée dans *Tamango*.

● Expliquez, discutez et commentez cette affirmation de Gustave Planche sur *Tamango* : « C'est un récit qui commence comme une satire et finit comme une épopée homérique ou dantesque. »

● Appliquez aux *Ames du purgatoire* la boutade de Sainte-Beuve (*Portraits contemporains,* tome III) : « Mérimée ne croit peut-être pas que Dieu existe, mais il n'est pas bien sûr que le diable n'existe pas. »

● Discutez et commentez cette affirmation de P. G. Castex en l'appliquant aux *Ames du purgatoire* : « D'accord avec Nodier, [Mérimée] affirme que le conteur, pour parvenir à l'effet qu'il recherche, doit savoir s'abandonner dans une certaine mesure au charme persuasif de son propre récit; et il admet volontiers que le plus sceptique des hommes soit superstitieux à ses heures. »

● Vous essaierez de déterminer, d'après la lecture des *Ames du purgatoire,* quelle est l'attitude de Mérimée devant la religion.

● Vous essaierez d'établir une comparaison entre le don Juan de Molière et celui de Mérimée.

# TABLE DES MATIÈRES

Imprimerie-Reliure Mame - 37000 Tours.
Dépôt légal Juillet 1972.
Nº 11229. — Nº de série Éditeur 12740.
IMPRIMÉ EN FRANCE *(Printed in France)*.
870 094 D Mai 1985.